# Bessie Dunlop
## Witch *of* Dalry

**John Hodgart and Martin Clarke**

# Hodder & Stoughton
A MEMBER OF THE HODDER HEADLINE GROUP

This play has been rewritten in memory of my good friend
Martin Clarke. I would also like to dedicate it to the memory
of my father, William Hodgart, and to my mother, Bessie
Lindsay, in whom the spirit of another Bessie was always very
much alive.

Order: please contact Bookpoint Ltd, 39 Milton Park, Abingdon, Oxon OX14 4TD.
Telephone: (44) 01235 400414, Fax: (44) 01235 400454. Lines are open from 9.00 –
6.00, Monday to Saturday, with a 24 hour message answering service. Email address:
orders@bookpoint.co.uk

*British Library Cataloguing in Publication Data*
A catalogue record for this title is available frm The British Library

ISBN 0 340 63914 8

First published 1995
Impression number   10  9   8   7   6   5   4   3
Year                   2004   2003   2002   2001   2000

Typeset by Wearset, Boldon, Tyne and Wear.
Printed in Great Britain for Hodder & Stoughton Educational,
a division of Hodder Headline plc, 338 Euston Road, London NW1 3BH
by Cox & Wyman Ltd, Reading.

# INTRODUCTION

When we try to come to terms with evil on the scale of a holocaust, it is sometimes difficult, when confronted with the sheer enormity of the human suffering involved, to remember that the statistics conceal millions of personal tragedies and the tears of individual human beings and families. Like the shoes of the Auschwitz victims, piled in stacks up to the ceiling, each has a story to tell.

Of the great European witch holocaust only a few stones or crosses remain to mark some of the spots where witches were burned, such as Castle Hill in Edinburgh. In most cases, records simply give the victims' names and, in some cases, even this information has not survived. Bessie Dunlop was one of the thousands persecuted for witchcraft but, unlike many others, her case was recorded in great detail. 'One of the earliest and most extraordinary cases on record' is how Robert Pitcairn described it in his *Criminals Trials in Scotland* (1829) and it is his account, taken from the earlier court records, which we used to try to tell her tragic story and to show how we think she became one of the thousands branded as a witch in Scotland.

One of the most striking things about the case of Bessie Dunlop is that she was no lonely old carline or strange outsider, regarded with suspicious fear by her community. In fact she doesn't really fit the typical pattern of witch persecution because she was very much a central figure in her community and wasn't simply a victim of mass hysteria about witchcraft.

Bessie was, in many respects, an ordinary wife and mother who lived with her man and her weans at Lynn, in the parish of Dalry, Ayrshire but, in one respect, she was different from her neighbours; she was a skeelywife, whose skills ranged from midwifery to veterinary practice, using traditional folk medicine, as well as some old charms and superstitions. Yet, as modern medicine has found out, many of these traditional cures actually work because they are often based on a sound knowledge of herbal remedies, etc. There would have been few doctors in a rural community in the sixteenth century and someone like a skeelywife was probably the main source of medical aid, especially for women. As a midwife, Bessie must have been a very important and highly respected figure in the community.

How, then, did a woman whose skills were much sought after, come to be seen as an evil threat to the parish of Dalry and to be targetted in this way by the authorities? Also, why was she thought important enough to be tried at the High Court of Justiciary in Edinburgh in November 1576 and her case recorded in such detail?

Firstly, we have to appreciate that the sort of Scotland Bessie lived in was a very different world from our own. Something of the political climate is sketched in during the opening scene of the play: a period of great change, fear and uncertainty, as powerful nobles fought for control of the young King James VI and of former church land. At this time, Scotland had a peasant economy and most of the population scraped a bare living from a land, plagued by starvation and disease, rather like a third world country today. Their lords and masters were the great Feudal landowners, while the Kirk ruled their lives with, at best, a strict, fatherly authority and, at worst, a moral and spiritual tyranny which reached into every corner of their lives.

Shortly after the Protestant Reformation of 1560, the Scots Parliament passed its Statutes against witchcraft, as the Kirk felt it a matter of urgency to stamp out the folk customs and traditions they saw as being rooted in a dark devil-worshipping past. Before this time there were very few cases of witchcraft persecution in Scotland but, in the decade or so after these anti-witch laws, cases started to increase and the more the Kirk warned of the evils of witchcraft, the more the disease seemed to spread.

Bessie's case was one of the earliest and most famous and, by having a skeelywife from an obscure Ayrshire village taken all the way to the High Court in Edinburgh, the authorities were clearly treating it as a matter of great importance to the whole country. It would have been sensational front page news in today's terms. This suggests that Bessie was someone who the authorities wanted to make an example of, as a public warning that all those practising the old folk beliefs and customs were the agents of the devil.

It was this ancient pagan culture which the Kirk feared, as it still had immense power over the people. Furthermore, a skeelywife had a power over women's lives which the Kirk could not control and, in striking at this, they were striking at the very heart of what they feared most, female magic whose source of strength they saw as the temptation of the devil.

Pitcairn described Bessie's case as one of the most 'extraordinary' because her 'confession' gives great detail about her relationship with her 'familiar spirit', one Tam Reid who was said to have been killed at the Battle of Pinkie in 1547. It was this admission which ultimately convicted her: all her help and knowledge came from a spirit carrying a white wand, an old druid symbol, one who was a close friend of the Queen of Elfhame and the elfwichts or fairy folk. To the Reformed Kirk, these were no fairytale enchantments, but sinister pagan beliefs kept alive by Satanism and Catholicism, which must be rooted out.

As shown in the play, this 'confession' was almost certainly obtained as a result of the cruellest forms of torture and would have been no more reliable than the evidence produced in a show-trial under any twentieth-century military dictatorship. Bessie's interrogators would have been highly skilled at producing evidence which sounded credible, no matter how fantastic but, even allowing for this, there is still something of a mystery about Tam Reid, which continues to intrigue centuries later. Was he simply a figment of her interrogators' warped minds or did he really exist?

In the original version of the play we left him as an enigmatic, shadowy figure, open to several interpretations but, in rewriting it, I have simply made him auld Tam Reid who did not die at Pinkie after all, but who turned his back on a corrupt and evil world to live the solitary life of a hermit. Yet he is drawn back into the world by Bessie's innate goodness and by his desire to pass on his knowledge and wisdom to a kindred spirit, the local skeelywife, whose skills came from her own mother. He is presented as a sort of solitary druid, whose roots are in the pagan past, though he also learned from the monks in the old days and hence his love of the Monkcastle woods. He is intended as an alternative spiritual presence in contrast to the demonic ravings of the Minister at the start of each act.

At the same time I have tried to highlight the ironic contrast between a devil-obsessed Christianity and the natural goodness of the healer whose life exemplified the very Christian qualities the Church was supposed to stand for but which, in Bessie's case, led ultimately to her downfall. Yet ironically it was not because of her activities as a skeelywife that she first landed in trouble with the authorities.

As already pointed out, someone like Bessie would have been a central figure in a small close-knit society, often devastated by famine and disease, as her skills were important for the community's survival, skills that were sought by rich and poor alike. Yet, as time passed and her fame as a healer spread, especially in the aftermath of an epidemic, she seems to have been accredited with powers that went beyond the natural. Soon people sought her help for all sorts of things, especially her apparent ability to find lost or stolen goods, or to foretell the future, something that was thought to be within the power of a wise woman or spaewife. However, as Sir Walter Scott remarked in *Letters on Demonology and Witchcraft* (1831) 'Bessie Dunlop's profession of a wise woman seems to have flourished indifferent well till it drew the evil of the law upon her.'

Although many of the local gentry had also sought Bessie's help on numerous occasions, it was not until she made enemies among her social superiors that she landed in trouble, especially after she seems to have stumbled across a case of corruption, involving the local Sheriff Officer. These powerful enemies probably saw how they could use the Kirk's growing concern about witchcraft to get rid of her by branding her as a witch. It was not long before Bessie was brought before the Kirk authorities who no doubt then used her case for their own ends through a perverted form of justice, apparently intended to 'save' the victim from the clutches of Satan. Even her plea for 'an assize of her neighbours' seems to have backfired on her, as she was disowned and betrayed by the local gentry.

Although the wording of Bessie's 'confession' must have been mainly the work of her interrogators, she still shines through their perverted version of the truth as an innocent and very fallible 'witch' and, above all, as a very selfless and brave woman. If in any sense she could be considered a 'witch', she was very much a 'white witch', as she never used her 'powers' to bring anything but good to her community. Above all, there is not one single piece of evidence that she ever brought harm to anyone or quarrelled with anyone, but quite the opposite, as she seems to have spent her life trying to help others or responding to people who sought her help.

She was essentially a healer whose skills as a wise woman

were exploited by others for their own selfish reasons and this proved to be her undoing. Her crime was to offend people who had asked too much of a skeelywife or who had spread stories about her 'powers' and entangled her in the affairs of people who had much to hide. Ironically, for a wise woman she was, to some extent, a victim of her own naivety in trusting people and of her success in healing and helping others. But she was mainly a victim of greed, corruption and maliciousness and the wider moral perversion of her society, where to attempt to do good in the traditional manner had been turned into something regarded as evil.

At the start of the play we see Bessie and her family suffering from a physical illness which she is able to find a cure for, but at the end of the play we see her suffering at the hands of a sick society for which a cure is not so easily found. The play follows Bessie's tragic transition from being a popular healer and helper, to becoming a victim. Her own natural goodness and innocence laid her open to the credulity, gossip and betrayal of neighbours, friends and even her own husband. Her fate was sealed by the hypocrisy and cowardice of the local gentry, the spite and corruption of local officials and, above all, the Kirk's obsession with witchcraft. Bessie's story shows how a totally innocent person became a convenient scapegoat for the problems of a corrupt and troubled society.

I hope that, in spite of its historical focus, *Bessie Dunlop, the Witch of Dalry* will be seen not simply as a historical documentary, but as a play that says something about human behaviour which is not without relevance to our own troubled times of prejudice and persecution. Hopefully the play will be seen as a mirror for any society driven, by fear of the enemy within, to seek out victims and scapegoats.

*John Hodgart, 1994*

# THE FORM AND STYLE OF THE PLAY

As explained in the Introduction, the play is based on Bessie Dunlop's 'confession', taken from Pitcairn's *Criminal Trials* and, although I have not departed from the main 'facts' of the confession, I have tried to get behind the recorded evidence to explain how I think Bessie might have become 'the witch of Dalry', and to show how her trial and confession perverted the truth. It presents one version of her strange story and no doubt others could interpret it in a different way.

To highlight my interpretation, I have taken dramatic licence, firstly by adding a few characters not mentioned in the confession, such as Elkie and Wulkie (who are more than just comic relief) as well as Maggie Jack, Bessie's sister-in-law and wife to a John Jack mentioned in the evidence. John Jack was possibly a brother to Andra Jack, Bessie's 'spouse', who is only mentioned as suffering from 'the land-ill' and is then strangely absent from the confession. I have built up his character to give him an important role in bringing trouble to Bessie's door, to show that even her own man, whom she had saved from illness, could be capable of trying to exploit her 'powers' and, in the end, betraying her in order to save his own skin.

Obviously I have also departed from the bare 'facts' of the confession by selecting, omitting and sequencing the events in order to give the story more structure and shape, although, like the confession, the play is episodic in structure, with many of the scenes linked by narration. The original intention was to use as many episodes as dramatically possible to suggest a panoramic view of Bessie's story, showing the many different characters and events that supposedly make up the catalogue of her crimes, but in fact testify to her innocence and goodness.

In rewriting the play I have reduced the number of characters from the original mainly by making more use of recurring figures like Andrew, Elkie and Wulkie, Dougall and Crawfurd. However, I think the play still creates a sort of tapestry of the whole society and culture which was responsible for Bessie's fate. The play shows how the evil which engulfed Bessie came from several layers of that society, and that they all reinforced each other.

In sharp contrast to the chronicle-like presentation of events and the detached factual narration, there are several stock elements of popular Scottish drama. In the first act of the play they help to suggest an essentially couthy, comic world where life's problems can always be laughed off, as they will all sort themselves out sooner or later. Thus, a certain pattern of expectations is built up, but the anticipated pattern seems to go wrong, as in Act 1, Scene 11 which is balanced between farce and tragedy, or the Irvine scenes which begin comically but end menacingly.

Gradually, the play slides from comedy into tragedy, and the audience are thus lead into an uncomfortable world of fear, cruelty and victimisation, quite the opposite of what we are earlier led to expect. Similarly the folk songs also reflect this change, progressing from humorous songs of celebration to songs of a very different nature as the play descends into a dark and tragic world.

Some of these contrasts are also expressed via the language of the play, especially between formal English and Scots but, within these two, there are further contrasts. Firstly, there are different levels of English, from the narration, the Bible or the Bishop, to the court proceedings, which actually mix Scots and English, while there are also different varieties of Scots, from the old legal Scots of parts of the confession, or the pulpit Scots of the Minister and the more archaic Scots of Auld Tam, to the more street-wise language of Bessie's neighbours or some of the rascals and villains.

I have also taken poetic licence with the language of the play. Though some archaic Scots is used, it would of course have been pointless to make all the characters speak in authentic sixteenth-century Scots as this kind of accuracy would have been dramatically limiting. There are also linguistic anachronisms like the Minister quoting from the King James Bible nearly forty years before it was published. However, the Reformers did use an English translation of the Bible and all that matters here is that it should sound elevated, archaic and austere.

On the other hand, why do I have the Bishop and the advocates using English when they would in fact have used Scots at that time? Firstly, the Bishop is meant to appear as a strictly neutral outsider who doesn't really believe in all this 'witchcraft nonsense', but also as a Pontius Pilate figure, reluctant to get involved and wanting to avoid anything controversial; this is easier to suggest if he speaks English. Similarly, I wanted the legal jargon of the court to sound cold and impersonal and as far removed from the language of Bessie's world as possible. This suggests how far the truth has been twisted and justice perverted by officialdom and, again, works better in English. Thus there are important dramatic reasons for these linguistic contrasts which, in fact, highlight the advantages of being bi-lingual in two cousin languages – Scots and English.

Historical licence has also been taken in other ways, such as Bessie appearing in court when, in reality, women were not admitted as witnesses until much later. Bessie is present in the court scene, but she speaks only to herself. She does not actually speak directly as a witness, though she is much quoted, or rather, misquoted. Again this helps to suggest that words have been put into her mouth and, as she is no longer treated as a person, it does not matter what she says.

As far as historical truth is concerned, I do not claim that my version of her story is what really happened, although I think it is probably much nearer to the truth than Bessie's confession. My main aim was not to unearth the 'true' facts of the case but to create a drama about good and evil and to show how a good person can become a scapegoat. Thus, poetic licence is more important than strict historical accuracy.

# Production Note

For anyone thinking about a production of the play, its episodic nature clearly presents advantages and disadvantages. At times the action moves so quickly between scenes that the use of different stage sets is really out of the question because the transition from one scene to another, sometimes via narration, has to be carried out smoothly and quickly or the whole continuity of the production is lost. Narration by actors from the previous scene, or those taking part in the next one, may help to improve the mobility and help maintain the unity of the work so that narration and dialogue are integrated as far as possible.

In the original production, the setting throughout was a bare stage with black drapes, with appropriate lighting changes and blackouts used to move from one location to another, especially for the Bessie and Tam scenes. Furniture and props were strictly functional, such as stools and boxes, etc. which were easily carried on and off by the cast. Costumes were very plain, using mainly drab colours which can be quickly added to (e.g. with a hat or cloak) to suggest a change of character. Only Tam, whose appearance is described in the confession, wore a strictly period costume to suggest that he is a figure apart, who belongs to a different age.

The original cast of the play consisted of 13 males and 12 females, but it can be easily adapted for a variable number of actors. A large cast has the obvious attraction of involving as many as possible in the production but, by playing several parts each, it is equally within the scope of a small cast. The only limitation is that Bessie should probably not take other parts, except narration. Tam, also, probably should not take other parts until after his last scene. Obviously confusion could occur in one or two places if the same faces appear in consecutive scenes as different characters, unless it has been made clear that they have changed parts.

These suggestions are prompted by experience of the original production at Garnock Academy, Kilbirnie, Ayrshire in 1977. Hopefully other groups will develop their own ideas about production and presentation to suit their own needs. I only hope that they enjoy working on the text as much as I did with Martin Clarke and a memorable cast of pupils, several of whom went on to drama school as a result of his inspiration.

# 𝔖COTS 𝔖PELLING AND 𝔓RONUNCIATION

The spelling of Lowland Scots ('Lallans' or the 'Doric') has always varied widely and has never developed into a fixed system, (i.e. each word with only one 'correct' spelling). In spite of attempts to lay down rules, or to regularise it, Scots spelling remains quite variable, or flexible (i.e. a word may have several alternative spellings) with many writers holding to their own local or personal preferences. While I have tried mainly to follow my own ear as regards spelling, I have also used most of the spelling conventions that are suggested in the *English–Scots Dictionary* (Chambers, 1993).

ane or yin = one

a as in want, warm, wash = the a sound of English arm

ae/ai/a = a as in English maid (e.g. brae, sair, hame, nae (not), hae, taen)

au/aw as in English awe (e.g. auld, tauld, gaun, aw (all), blaw, caw)

ay = yes, aye = always (y as in dyke) as in gey (very), wey

ei/ie/ee all = ee, as in seik, heid, weel, deef, gie (give), frien

eu = u as in muck (e.g. leuk, sheuch, or yu, as in heuk, neuk)

oo/ou as in good (e.g. aboot, oot, oor, toun, roun, croun, etc)

ow as in down (e.g. growe, lowp, cowp, howk, owre)

ui = i of bin, as in guid, spuin or a of fate as in puir, muir

ul = u as in dull, as in wull, pull

ch as in loch, for nicht, licht, richt, fricht, sicht

ng as in singer, for anger, finger, single

ed verb endings = it/t/(e)d, as in howkit, washt, chowed, gied, tauld

Although I have used 'I' for the first person singular pronoun, it is variously pronounced I/a/uh/eh, though mainly 'ah'.

Apostrophes are not used for missing English letters, as these sounds are not present in Scots (e.g. wi him aye talkin o himsel).

For more details of spelling and pronunciation, see the *English–Scots Dictionary*. A glossary of many of the Scots words used in the play can be found on pages 156–9.

# The Play
# Bessie Dunlop

## The Witch of Dalry

# Cast List

MINISTER, *Mr. Crawfurd*
BESSIE DUNLOP *of Lynn, a skeelywife*
ANDRA JACK *of Lynn, her husband*
MAGGIE JACK, *Bessie's sister-in-law*
AILIE *and* JEANIE, *Bessie's weans*
TAM, *an old hermit*
LIZZIE
JENNIE
ISA } *neighbours of Bessie's*
MARTHA
LADY JOHNSTOUN
CATHERINE DUNLOP, *her servant*
GRIZELL JOHNSTOUN, *her daughter*
THE LAIRD OF STAINLIE
LADY BLAIR
MARGARET SYMPLE, *her servant*
ELKIE *and* WULKIE, *cronies of Andra Jack's*
JAMES CUNNINGHAME *of Kilwinning*
WILLIAM BLAIR *of the Strand*
GIBBY, *his servant*
JANET BLAIR, *his daughter*
ELSPETH BLAIR, *her sister*
ANDREW CRAWFURD *of Baidland, nephew of Rev. Crawfurd*
HEW SCOTT, *Burgess of Irvine*
WILLIAM KYLE, *Burgess of Irvine*
MAILIE BOYD, *Irvine limmer*
JINTIE, *Irvine limmer*
JAMES BLAIR *of the Strand, brother to William*
\* CONSTABLE
JAILER
JAMIE DOUGALL, *Sheriff Officer*

JOHNIE BLAK, *a blacksmith*
GABRIEL *and* GEORDIE, *his sons*
HENRY JAMIESON *and* JAMES BAIRD, *farmers*
JAMES BOYD, *Bishop of Glasgow*
BISHOP'S CLERK
* GUARD
  *Young* TOM REID, *Baron Officer to the Laird of Blair*
  WULL, *an old servant*
* KIRK ELDERS
  THE LAIRD OF WHITTINGHAME
  GEORGE AUCHENLECK OF BALMANNO
  INTERROGATORS
  SCRIEVER
  ADVOCATE 1
  ADVOCATE 2
  CLERK OF COURT
  JUSTICE DEPUTE
* MEMBERS OF THE ASSIZE

  NARRATORS

(* = non-speaking parts)

# Act One

## Scene One

*[Cast enter singing or humming Psalm 7 ('Cheshire') and take their places as congregation. The* MINISTER *climbs into the pulpit.]*

MINISTER  'In all your dwelling places the cities shall be laid waste and the high places shall be desolate, that your alters may be laid waste and made desolate, and your idols may be broken and cease, and your images may be cut down and your works may be abolished. And the slain shall fall in the midst of you and ye shall know that I am the Lord.'

May the Lord bless this readin fae the holy book o Ezekiel.

The forces o paganism an Popery are abroad in this land, for the servants o Satan are lurkin deep in the daurk glens an wuids o Scotland waitin tae tempt the faithfu fae the path o righteousness, jist as that evil Queen an her treacherous Lords hae torn this realm asunder. Guide us, o Lord, in the true path, that we may ken the weys o the Lord an dwell in his hoose for evermair.

We will noo sing the praises o the Lord: Psalm nummer seiven, 'Oh Lord My God, in thee do I my confidence repose.'

*[Verse 1–2 of the psalm are sung. The cast then turn to the audience and hum the tune throughout the following narration.]*

NARRATOR 1  Scotland in the Seventies,

1

NARRATOR 2    The Fifteen Seventies,

NARRATOR 1    A land torn by civil and religious strife.

NARRATOR 3    Mary Queen of Scots had been deposed.

NARRATOR 2    John Knox was dead.

NARRATOR 4    The new King, James VI, was still a child.

NARRATOR 5    The country was alive with rumour of plots and counter-plots,

NARRATOR 3    While powerful groups of nobles fought for control of the country.

NARRATOR 1    It was a time of uncertainty,

NARRATOR 2    A time of change,

NARRATOR 3    A time of fear,

NARRATOR 4    A time of chaos.

NARRATOR 5    Naebody kent if they were comin or gaun!

### SPRIG O ROWAN

*If I go tae kirk on Sunday,*
*God'll aye leuk efter me,*
*But I ayeways hae ma lucky sprig o*
*Rowan Tree,*
*For it keeps awa the witches,*
*An the Big Bad Bogey Men,*
*I'm jist a wee bit superstitious*

*An I like tae ken.*
(repeat last two lines)

*CHORUS*

*For it's a skeery life, a weary life,*
*A sair life tae bear.*
*We're shoved aboot fae morn tae nicht,*
*Fae here tae there,*
*An if ye were tae ask us*
*O Kirks an Queens an Kings,*
*We'd say we hae a weary time*
*Wi sic like things.*
(repeat last two lines)

*Oh we had a Queen o Scotland,*
*Mary wis her name,*
*For mony o oor problems*
*She's taen the blame,*
*Sae noo she's banished fae us*
*An wee Jamie bears the croun,*
*But the bonnie Lords o Scotland*
*Hou they aw buzz roun.*
(repeat last two lines)

*Whether Protestant or Catholic,*
*Ye'd best mak up yer mind,*
*For John Knox has tellt ye,*
*An I think ye'll find,*
*That if ye're Holy Roman,*
*Ye'd better chynge yer view.*
*We used tae aw be Christians*
*But it's different noo.*
(repeat last two lines)

*CHORUS*

NARRATOR 1    To the ordinary folk, life was not a struggle for power, but a struggle for survival.

NARRATOR 2    The mighty came and went, but the people lived and died by the powers of nature:

NARRATOR 3    The golden warmth of the sun and the cycle of the seasons, the silver shadows of the moon, the ebb and flow of time and tides.

NARRATOR 4    The forces which had ruled their lives since the dawn of creation,

*[Cast all turn back towards the* MINISTER *and sing verses 3–4 of Psalm 7. They continue humming the tune throughout the following narration.]*

NARRATOR 5    Medieval Scotland abounded in folklore and superstition and the pagan beliefs which stretched back into the mists of time.

NARRATOR 6    As people believed their lives were guided by the spirits of good and evil.

NARRATOR 4    Yet during the great changes of the fifteenth and sixteenth centuries, the age of the Renaissance and Reformation,

NARRATOR 3    A new obsession swept Europe . . .

NARRATOR 2    . . . the witch hunt.

NARRATOR 1    Witchcraft was not new, but the persecution of it, for its own sake, was

NARRATOR 2       As The Church sought to root out all forms
of herecy and pagan superstition.

NARRATOR 3       It saw them all as the work of the devil trying
to overthrow Christianity.

NARRATOR 4       Every country in Europe, Catholic and
Protestant, became obsessed with fear of
witchcraft.

NARRATOR 5       Hundreds of thousands of witches,
including many children, were burned at the
stake.

NARRATOR 6       In Germany alone an estimated 100,000 were
burned in the sixteenth and seventeenth
centuries.

NARRATOR 4       Scotland, as much as any other country, was
obsessed by the witch mania.

NARRATOR 3       Although not all burnings were recorded, it
has been estimated that around 4,000 people,
mainly women, were executed for witchcraft in
Scotland between the late sixteenth and the
early eighteenth century.

NARRATOR 1       Some estimates put the figure at several
times that number.

NARRATOR 2       However, one of the earliest and most
extraordinary trials on record took place in
1576, well before the great witch hunts that
began later that century.

NARRATOR 5    In many respects this case is quite unique.

NARRATOR 6    Yet her story represents all who ever suffered in this way.

*[Cast stop humming.]*

NARRATOR 1    It is the story of Bessie Dunlop of Lynn, in the parish of Dalry, Ayrshire.

*[Cast face the* MINISTER *with their heads bowed.]*

MINISTER    Brithers an sisters o the pairish o Dalry, a fearfu punishment has descended upon this sinfu toun for it is a very wilderness o wickedness, but nane shall pass untouched bi the wrath o the Almichty. Man an beast hae been stricken bi the plague, an I hae tae report the daiths o seiven mair souls since last Sabbath. Nane can escape this judgement o God, for has he no spoken thus: 'He that is far off shall die of the pestilence, and he that is near shall fall by the sword, and he that remaineth and is besieged, shall die by the famine. Thus will I accomplish my fury upon them.'

*[*MINISTER *and congregation exit singing verses 5–6 of Psalm 7. Those who appear in the next scene remain behind to sing the 'Sprig o Rowan' chorus, as a link to the next scene.]*

# Scene Two

*[Bessie's house. Bessie's man, ANDRA JACK, is lying on the bed, while she walks up and down with her sick baby. Her other two children are lying in bed sleeping.]*

NARRATOR 1    Andra Jack of Lynn was one of the cotters, or tenants on the 'six-merk land', called Lynn, within the Barony of Dalry, and part of the estate of Lord Boyd.

*[ANDRA moans and BESSIE crosses to him.]*

NARRATOR 2    His wife, Elizabeth Dunlop, better known as Bessie, was the local 'skeelywife' or healer and midwife.

*[NARRATORS exit. BESSIE eventually gets the baby to sleep and lays it down in the cot. Her man starts moaning and BESSIE fetches a cold cloth and wipes his brow. A knock comes to the door and MAGGIE JACK enters.]*

MAGGIE    How is he Bessie?

BESSIE    Oh Maggie, he's no awfu guid the day.

MAGGIE    Has the fever no broken yet?

BESSIE    Naw, he's been burnin wi it aw nicht, an gibberin lik a gowk!

MAGGIE    *[crossing to the children]* How are the weans?

BESSIE    The bairn's got it noo tae. I'm gey worrit aboot him Maggie. I dinna ken whit tae dae.

MAGGIE      I sorry Bessie, but I wis hopin ye could help me, for ma ain weans arenae awfu guid, an the wee ane's been up seik aw nicht.

BESSIE      I wish I could, but I'm still that wabbit I cannae help ma ain bairn, never mind onybody else's.

MAGGIE      God bless the wee sowl. Is there no a herb or potion ye could gie them?

ANDRA      *[gibbering]* Lea me alane! I'm tellin ye nothin. Let me go!

BESSIE      Andra, calm yersel doon. There noo.

ANDRA      I'm cauld, mither, I'm cauld.

BESSIE      Andra, it's Bessie yer wife.

MAGGIE      He'll no ken ye Bessie. He's haiverin.

BESSIE      Leuk Andra, it's Maggie. Yer brither's guidwife's here.

ANDRA      Mither, pit the fire on. I'm freezin. *[He tries to get up.]* I'll pit it on masel then. I'll need tae get some sticks tae build a bleezin fire.

*[MAGGIE and BESSIE push him back onto the bed.]*

BESSIE      Aw richt Andra, I'll licht the fire.

MAGGIE      The sweat's blinnin him, Bessie.

BESSIE      There noo Andra, calm yersel doon. *[She mops his brow.* ANDRA *dozes off, still mumbling.]* There, he's ready for sleepin noo Maggie.

MAGGIE     I'll hae tae get back tae the weans.

BESSIE      I'm sorry I couldnae help ye Maggie, but I'll mibbie try an gether some fresh herbs the morn.

MAGGIE     Aw richt Bessie, I'll leuk in later on. God bless the weans.

*[*MAGGIE *exits.* BESSIE *sits still for a moment, then checks her husband is sound asleep and crosses to look at the baby. She picks up a shawl and stick and is about to exit when her older children waken up.]*

AILIE      Is he no ony better Mammy?

JEANIE     Mither whaur are ye gaun? I'm awfu cauld.

BESSIE      Sh! Stey in yer beds an dinna wauken yer faither. I'm awa tae gether some herbs in the Monkcastle wuids tae mak yer Daddy better. I'll no be lang. Martha next door'll leuk in tae see ye're awricht. Noo get back tae sleep.

*[*BESSIE *kisses the children and exits.]*

# Scene Three

*[The Monkcastle woods. A whistle or flute plays the 'Fine Flooers'
tune slowly and quietly in the background.*

*[BESSIE walks slowly, leaning on her stick and sobbing. She bends
down to pick some leaves from a plant which she puts in a small bag.
TAM, an old grey man, is watching her from behind a tree. He comes
out and stands in front of her.]*

Tam       Guid day Bessie.

BESSIE       God speed ye guidman. *[She doesn't even look up.]*

TAM       Why are ye greetin sae sair, lassie?

BESSIE       *[still kneeling, looks up]* Oh I hae guid cause sir. Ma
              man's gey no weel, an ma wean has the fever
              tae, an I'm sae weak masel that I can hardly stey
              on ma feet.

TAM       The fever ye say?

BESSIE       Ay sir, the land-ill.

TA::       Hae ye made yer peace wi God Bessie, for it's mibbie
              that ye've angert him in some wey?

BESSIE       *[gets up slowly]* I've duin naethin I ken tae anger
              onybody sir.

TAM       Noo lassie, if ye'll stop yer greetin, I'll see if I can
              help ye. I saw ye getherin herbs hereaboots. Let
              me see whit ye hae there. *[BESSIE shows him what*

*she has gathered.]* Aye, mak a guid hot brew wi some o they herbs, but add a wee pickle o this root, but mak shair ye yuise watter that's as clear an caller as fae the Spout o Lynn.

BESSIE      Will it cure the fever?

TAM      It should pass fae yer man in a day or twa.

BESSIE      An the wean?

TAM      Hou auld is the bairn?

BESSIE      Jist twa weeks.

TAM      *[slowly]* Then I'm sorry lass, but ... I dout it's owre young ...

BESSIE      *[in tears]* O naw ma ain wee lad.

TAM      Ay it's gey hard tae thole lass.

BESSIE      An I can dae naethin for him.

TAM      But tak hert, Bessie, for there's nae reason why yer man shouldnae leeve an be as weel as ever he wis, if ye leuk efter him.

BESSIE      Ay sir I will, but ... but whit aboot ma guid-sister's wee boy? He's nearly twa year auld.

TAM      If ye gie him a wee drop o the herbal broth, that should help him.

11

BESSIE    I'll dae that sir.

TAM    Noo aff ye going hame lassie.

BESSIE    Thank ye for yer kindness tae me.

TAM    That's aw richt Bessie.

BESSIE    Hou dae ye ken ma name?

T : i    Weel I ken wha ye are, though I hinnae been aboot these pairts for a wheen o year, but I've seen ye getherin herbs afore.

BESSIE    We'll meet again then.

TAM    Ay Bessie, I hope sae. I'll be hereaboots, if ye need ma help.

*[BESSIE turns to go but, when she turns back, TAM has disappeared.]*

BESSIE    But I dinnae ken your name ...

*[BESSIE looks around, a little puzzled, then exits slowly.]*

*[A few bars of 'Fine Flooers' fade out.]*

# Scene Four

*[The crossroads. 'Sprig o Rowan' chorus fades out as* JENNIE *and* LIZZIE *enter.]*

JENNIE      An awfu shame aboot Bessie's bairn, eh Lizzie?

LIZZIE      Ay, the puir wee soul, but I hear her man's
                on the mend, an Maggie's wean's a lot better
                tae.

JENNIE      An she's cured Martha's twa weans an aw.

*[MAGGIE JACK enters.]*

JENNIE      Oh hallo Maggie, we were jist talkin aboot ye.
                How's the wean?

MAGGIE     An awfu lot better thanks.

LIZZIE      Did Bessie's mixture really help?

MAGGIE     Ay, I jist gied him a wee taste o't nicht an mornin,
                an he wis as richt as rain in a couple o days.

LIZZIE      Here, dae ye think she could hae a leuk at ma
                boy's leg? It's fair beilin an gowpin.

MAGGIE     Oh ay, I'll tell Bessie as suin as I get hame.

JENNIE      She's that guid a sowl, so she is. She'd dae onythin
                for ye.

MAGGIE     Ay, I couldnae ask for a better guid-sister.

JENNIE      Whit wid we dae withoot her, eh?

LIZZIE      Here, hae ye's heard aboot Wee Jintie?

JENNIE      No again! It's no that long since her last ane.

MAGGIE      Ay, it must be her . . . *[counting out]* . . . seiventh.

LIZZIE      Eighth!

JENNIE      It's mair than that!

MAGGIE      An Bessie or her auld mither brocht them aw
            intae the world.

LIZZIE      Ay she wis a richt guid auld skeelywife tae.

JENNIE      She wis that, but here I'll hae tae get doon the
            road.

LIZZIE      We'll mibbie see ye later on then Maggie.

*[They exit in one direction, as* BESSIE *enters from another.]*

MAGGIE      Oh hallo Bessie, we were jist talkin aboot ye.

BESSIE      Hallo Maggie.

MAGGIE      Ye seem tae hae helped a wheen o folk wi that
            brew.

BESSIE      Ay, but I couldnae dae onythin tae save ma ain
               wee boy.

MAGGIE      That wisnae your faut Bessie. Ye did aw ye
               could.

BESSIE      Mibbie no, but onywey there's naethin I can dae
               tae bring him back. How's the wean the day
               Maggie?

MAGGIE      Fine thanks Bessie. He's nearly better noo. Here,
               afore I forget, Lizzie Wilson wis askin if ye
               could hae a leuk at her boy's leg.

BESSIE      I'll dae whit I can.

MAGGIE      Oh ay, an John wis askin me if ye could dae
               somethin wi a seik coo in oor byre. Luck fare
               the beast.

BESSIE      Aye, I can see tae bairns an beasts aw richt,
               but . . .

MAGGIE      Whit dae ye mean?

BESSIE      Maggie, I jist dinnae think I can dae some o the
               things folk hae been askin me aboot.

MAGGIE      Aw come on Bessie, we ken ye aye dae yer best.

BESSIE      But that micht no aye be enough.

MAGGIE      Haivers Bessie, an if some folk are peyin ye for
               yer help, ye're helpin yer ain weans tae, for

they need aw the help they can get, wi the wey
Andra's been since the land-ill.

BESSIE     Ay, that's true.

MAGGIE     Are ye gaun hame then?

BESSIE     Naw, I'm gaun doon tae Monkcastle tae gether
some violets an lily o the valley.

*[They both exit, going their separate ways.]*

# Scene Five

*[The Monkcastle woods. A whistle plays 'Fine Flooers' quietly in the
background.* BESSIE *is picking flowers when old* TAM *appears from
behind a tree.]*

TAM     Are ye weel Bessie?

BESSIE     Oh sir I hae tae think ye for yer kindness an help
wi the brew that saved sae mony folk.

TAM     That's fine, Bessie, fine, but hou are ye
fairin yersel?

BESSIE     I'm weel enough, though ma hert's sair, but if
there was naethin I could dae tae save him,
there's nocht I can dae noo tae bring him
back.

TAM     Ay, that's true lassie.

BESSIE     But sir, a lot mair folk are comin tae me for help

wi their ills an . . . they're leukin tae me for
help wi ither . . . troubles.

TAM     *[Hands her some violets and takes his time in answering.]*
Dae ye trust me, Bessie?

BESSIE     Ye hae duin me naethin but guid, so I hae nae
reason no tae trust ye sir.

TAM     Dae ye hae faith though?

BESSIE     In you sir?

TAM     Ay, wid ye gie me yer trust an yer faith?

BESSIE     *[a bit uncertain]* . . . I think sae, but . . .

TAM     An no jist that. I mean faith in the auld weys, an the
auld cures.

BESSIE     Faith in the power o healin ye mean?

TAM     Ay lassie, ye hae the howdiewife's gift o bringin
weans intae the world, an the skeelywife's
magic, an . . .

BESSIE     I hae faith in the magic that brings help tae folk
that need it.

TAM     An faith in the guidness o the earth, the sun an
the muin, an faith in the magic o Nature aw
roun aboot us in these wuids, in the trees
plants an flooers, but abuin aw, faith in yersel,
for . . .

BESSIE    I only gether things that are guid for folk.

TAM    Indeed ay lassie, an ye'll need a lot o faith in yer ain
           guidness for ither folk'll test that faith gey sair,
           but if ye pit yer faith in me, sae that I can pass
           on aw I ken, ye'll be able tae help folk aw the
           better.

BESSIE    Sir . . . whit will I say tae aw they folk that are askin
           me for help wi sae mony things?

TAM    Gie them yer help if it's within yer pooer, an ye'll
           hae ma help wheneer ye need it, but it wid be
           better if folk didnae ken I wis helping ye, for I
           learned a lot fae the monks in the auld days,
           an . . . weel ye ken the Kirk widnae like tae hear
           aboot that.

BESSIE    I'll no tell onybody sir.

TAM    Ye see, I'm no sae keen on meetin folk these days an
           no mony ken I'm bydin here in the Monkcastle
           wuids.

BESSIE    I'll neer whisper yer name tae a leevin sowl. Ye can
           pit yer faith in me guidman.

TAM    I ken lass, I ken. Here tak this tongue-leafed fern I
           gethered ablow the Elfhame caves on the banks
           o the Dusk burn. It's awfu guid for easin
           troubles o the hert, an in the auld days, some
           folk thocht that it could even mak ye invisible!

BESSIE    That micht come in handy then! *[both laugh]*

TAM      Indeed ay Bessie, but I'd better let ye get aff hame, for I ken ye hinnae time tae staun here bletherin wi an auld man lik me aw day.

BESSIE      Ay sir . . . eh, I mean naw . . . no that I mind . . .

TAM      It's aw richt lass I ken whit ye mean, but aff ye gang.

BESSIE      But I still dinnae ken wha . . .

TAM      Ye can caw me Tam.

BESSIE      Ay . . . Tam.

TAM      Guid day tae ye lass. *[He turns away.]*

BESSIE      Guid day . . . Tam, an *[He has gone.]* . . . thank ye.

*[Whistle music fades out.]*

# Scene Six

*[A group of about six enter singing 'Sprig o Rowan' as they take up positions.]*

NARRATOR 1      In the Scotland of Bessie's day, charms, spells and superstitions were a natural part of rural life.

NARRATOR 2      They played an important part in curing illness or protecting people from various evils.

NARRATOR 3   Folk medicine relied on the popular belief in such charms as well as in the use of herbs.

NARRATOR 4   The 'skeelywife', whose skills might range from midwifery to veterinary practice, was an important figure in every community.

NARRATOR 1   The source of her 'magic' lay far back in pagan beliefs about the power of the Spring Queen, the Mother Earth Goddess.

NARRATOR 4   Such women often possessed wisdom and skills proven in centuries of use, especially in dealing with 'women's troubles'.

NARRATOR 2   Thus Bessie Dunlop soon became known as a skeelywife who had the reputation of being able to treat and cure a variety of human and animal ailments.

### THE BALLAD OF BESSIE'S BREW

*If it's yer ills ye want tae cure*
*Ye neednae sit an greet.*
*Guid Bessie Dunlop's potions pure*
*Will pit ye on yer feet.*

*CHORUS*
*Oh if ye'll tak a wee wee drap*
*O Bessie's magic liquor,*
*Jist hauf a cup'll pick ye up*
*An mak ye better quicker!*

NARRATOR 3   'Sundrie persons cam tae her tae seek help for their coo or yowe, or for ony bairn that was taen awa wi an evil blast o wind or was elf-grippit.'

NARRATOR 2    Bessie's usual treatment seems to have consisted of a root or herb, powdered and taken in a drink, or made into a 'saw' or salve.

NARRATOR 1    'So soon as she rubbit the saw upon the patient, man or woman, or bairn, and it drank in, the bairn wid mend, but if it swat oot, the person wid dee.'

NARRATOR 2    The more she helped others, and the more her fame spread, the more was expected of her.

NARRATOR 1    People soon started seeking her help for all sorts of things.

*[They sing verse 2 and chorus of 'The Ballad of Bessie's Brew'.]*

> *Fae Lynn, Kilwinnin and Dalry*
> *Her fame goes faur an wide,*
> *Tae Johnstone, Paisley, Irvine toun*
> *Aw roun the countryside.*

*CHORUS*

NARRATOR 3    And it was not long before her reputation reached the ears of the local gentry.

NARRATOR 4    'The Lady Johnstoun, elder, sent to her a servant of the said Lady's, callit Catherine Dunlop, to help ane young gentlewoman, her dochter.'

# Scene Seven

*[Lady Johnstoun's house.* CATHERINE DUNLOP *enters with Bessie.]*

CATHERINE    If you'll just wait here, I'll inform my lady that I hev brung you fur to see her.

BESSIE    Thet's awfully obleeging of you, Catherine Dunlop! An whaur did ye learn tae talk wi bools in yer mooth. I've mind o ye when ye were a clarty wean, wi snotters blinnin ye!

CATHERINE    I beg your perdon?

BESSIE    Ach never mind, awa an tell Lady Johnstoun that I'm here wi the medicine for her dochter.

CATHERINE    *[as she exits]* Will you jist keep mind thet you're in Lady Johnstoun's house, an behive as befoots yer place.

BESSIE    I ken ma place fine. Dae you ken yours?

*[*CATHERINE *returns with* LADY JOHNSTOUN, *her daughter* GRIZELL *and the* LAIRD OF STAINLIE*]*

LADY JOHNSTOUN    Just sit doon here Grizell dear, an tak the weight from aff your feet. How are ye feelin? That was a terrible attack ye had jist noo. Wasn't it dear? Oh hallo Mrs ... Jessie ... it's awfully good o ye tae come. Isn't it dear? Oh, this is the Laird o Stainlie. Grizell an the Laird are aboot to be merried. Aren't ye Laird?

LAIRD         *[dead slow and not very enthusiastic]* Ay.

LADY JOHNSTOUN      Ay ... well, it's an awfully worryin time
            for all of us. Have ye found oot what's troublin
            poor Grizell?

BESSIE      Weel I think it's mibbie ...

LADY JOHNSTOUN      She's fair wastin away to a shadow, so
            she is.

BESSIE      A cauld ...

LADY JOHNSTOUN      Oo ay, she gets awfully cauld, don't ye
            dear?

BESSIE      Cauld bluid ...

LADY JOHNSTOUN      No, no blood, but terrible wind she's
            been heving.

BESSIE      Cauld bluid!

LADY JOHNSTOUN      Oh, awfully cauld blood, sure ye hev dear?

BESSIE      Lady Johnstoun, I'm tryin tae tell ye whit I think's
            wrang wi her.

LADY JOHNSTOUN      Oh, I'm maist sorry, Mrs ... eh ... It's
            jist that I'm that worried aboot Grizell.

LAIRD       *[slowly]* Whit is it?

BESSIE      It's ... *[waits]* ... cauld bluid that goes aboot the
            hert.

23

LADY JOHNSTOUN      Cauld blood aboot the hert?

LAIRD      *[dead slow]* Cauld bluid aboot the hert!

LADY JOHNSTOUN      Oh my! That sounds jist awful. Whit can
ye do for it?

BESSIE      Weel I've got a mixture here that ye could try, but
I'm warnin ye that it's awfu strong an she can
only tak a wee drap at a time. It's in this jaur, but
I'll need some ale an some sugar tae mix it wi.

LADY JOHNSTOUN      Catherine, run ben tae the kitchen and
bring a big jug o ale and the sugar bowl.
*[*CATHERINE *exits.]* Whit's in the mixture, eh,
Mrs. . . . eh?

BESSIE      Bessie, ma Lady.

LADY JOHNSTOUN      Oh ay, Jessie.

BESSIE      Weel, there's cloves an ginger, an there's aniseed
an liquorice aw mixed thegither in a wee drap
o ale, an its strained intae this wee jaur, an I jist
add some mair ale tae thin it doon a bit, an a
wee drap o sugar, jist tae sweeten it a bit, for it's
an awfu strong mixture.

*[Enter* Catherine *with sugar and ale.]*

LADY JOHNSTOUN      Thenk you Catherine.

BESSIE      Noo, it's jist the teeniest wee drap at a time. *[Pours
a small amount into the ale and scatters sugar over
it.]* Here ye are hen, jist try a wee sip o this.

*[*GRIZELL *sips very warily.]* Noo, mind she's only tae hae a wee drap at a time, an it'll dae her mair guid if she ...

LADY JOHNSTOUN   Oh, that's awfy guid of ye, Jessie. I'm really most obleeged tae ye. Weel, if ye'll jist step this way, the Laird here'll fetch ye the cheese an the peck o meal I promised ye. *[*GRIZELL *is beginning to look a bit happier.]* Noo just you sit here, dear an tak your medicine, jist like Jessie told you, and we'll be back in a meenit.

*[They start to go, but the* LAIRD *is still gawping at* GRIZELL *who is now clearly beginning to like the mixture. He mistakes her smile for a sign of affection, which he attempts to follow up, without success.]*

GRIZELL      Mm ... mm *[sip, sip, slurp]* ... mm?

LAIRD      Eh ... mm ... ay?

LADY JOHNSTOUN      Laird ... Laird!

LAIRD      Eh? Oh ay ... aw richt, *[slowly]* I'm jist comin, *[pause]* but I think she's a bit better the day.

*[*GRIZELL *crosses to the table, pours more of the mixture into the cup and takes some more ale and sugar, which she drinks with growing pleasure. She returns for a refill and gulps it down, followed by a fit of giggles, hiccups and burps. She starts humming 'Bessie's Brew'.* LADY JOHNSTOUN *and* CATHERINE *return and immediately notice a difference.]*

CATHERINE      Oh, Lady Johnstoun, whit's come over Miss Grizell?

GRIZELL    Shut yer face ya nebby wee besom ye!

LADY JOHNSTOUN    Grizell! Really! It must be the medicine!
                  *[She crosses to examine the jug.]* There's no a drap
                  left! Oh Grizell, ye're not yerself!

GRIZELL    I've never felt better in all my whole life! *[She
           rises and starts moving around the room.]* I'm fair
           scunnert wi this place an everythin aboot it, an
           I'll be leavin at the earliest opptun..oppertance..
           opperchance, an as soon as possible! *[hiccups]*
           One day soon, a handsome horse on a big white
           prince will come along, an take me in his arms,
           an ... *[She spins around and is caught by the* LAIRD
           *who is just returning.]* ... Och, well, never mind
           ... I suppose you'll huv tae dae. Gie's a kiss!

LAIRD    Whit?

LADY JOHNSTOUN    Grizell, really! Have ye nae propriety?

GRIZELL    Gie's peace mither!

LADY JOHNSTOUN    Grizell, whitever will the Laird think o ye?

LAIRD    Och, I dinnae really mind ...

CATHERINE    That medicine must've blootered her brains!

GRIZELL    That's good shtuff ... an let me tell you, it's
           done a lot for me an ...

*[She stops speaking as a look of discomfort comes across her face. She
moves slowly and uncomfortably towards the exit, and then suddenly
dashes off as fast as her legs will take her.]*

LADY JOHNSTOUN     Oh my, dearie me!

CATHERINE     I don't think we should gie her ony mair o that stuff!

LADY JOHNSTOUN     O Laird, whitever must ye be thinkin aboot poor Grizell?

LAIRD     *[dead slow]* I think she's a lot better the day!

*[They are joined by the narrators for the next scene and sing verse 3 of 'The Ballad of Bessie's Brew'.]*

> *So aw ye lads an lassies noo,*
> *Come an get yer potions*
> *For Bessie's guid strong herbal brew*
> *Will soon speed up yer motions!*

*CHORUS*

# Scene Eight

*[The crossroads.* MAGGIE JACK *enters with her neighbour* MARTHA *and* MRS. CRAWFURD *of Baidland.]*

MAGGIE     Ay, tell yer dochter I'll see tae it for her, Mrs. Crawfurd. Bessie's gey busy ye ken, but she'll be there as suin as ye send for her.

MARTHA     She's that guid wi weans, so she is.

MRS. CRAWFORD     I think Mary'll hae a gey sair time o' it, for she's lost twa weans already, speerited awa tae Elfhame so they were.

MAGGIE        Nae need tae worry Mrs. Crawfurd, for there's
              naebody mair skeely at bringin weans intae the
              world than Bessie.

MARTHA        Ay, whaur wid hauf the weans in this toun be, if
              it wisnae for Bessie Dunlop.

MRS. CRAWFURD        Does she dae onythin special?

MAGGIE        Weel she aye jist seems tae ken whit's best, for
              she's that skeely wi her hauns, though she does
              yaise a wee green lace chairm, an sometimes a
              knotted red threid, jist tae help things on their
              wey, if ye ken whit I mean.

*[They are interrupted by* MARGARET SYMPLE *and* LIZZIE.*]*

MARGARET        Ay, but she's no sae guid wi a seik beast.

MAGGIE        Whit? Ye'll no get onybody better for a seik coo!

LIZZIE        Talkin o seik coos, hae ye heard aboot Lady
              Johnstoun's dochter?

MARGARET        Ay, they say there's an awfu chynge come owre
              her.

MARTHA        For the better ye mean?

MARGARET        I'm no jist too shair aboot that.

MAGGIE        They say her talk fair affronted her mither
              onywey. Her an her genteel English weys! An ye

should've heard that stuck up wee servant o hers, Catherine Dunlop. Here, that reminds me. I hear that Lady Blair is haein bother wi her servants, Margaret.

MARGARET    Jist whit dae ye mean bi that?

MAGGIE    Ye ken fine whit I mean.

MARGARET    I think ye'd better haud yer tongue.

LIZZIE    Noo, mibbie that's why Lady Blair's sent for Bessie.

MARGARET    Has Lady Blair sent for Bessie Dunlop?

MARTHA    Ay.

LIZZIE    Whit wid Bessie ken aboot the like o that?

MARTHA    Whit does she no ken aboot? There's naebody like her for gettin tae the bottom o a bit o bother.

MARGARET    It's time tae ... time I wis getting hame! Guid day tae ye. *[exits hurriedly]*

MRS. CRAWFURD    Whit's she running awa for?

MAGGIE    Mibbie she's had some o Grizell Johnstoun's medicine, eh?

*[All laugh and break into 'The Ballad of Bessie's Brew' chorus.]*

NARRATOR 1    Having established her reputation as a

29

skeelywife, Bessie soon found that people
expected her to have powers that went beyond
the natural.

NARRATOR 2    Such as an ability to resolve certain human
problems,

NARRATOR 3    Or to be able to find the whereabouts of
things that were lost or stolen.

NARRATOR 4    For many a poor woman it could even be
quite profitable to be regarded as a spaewife or
witchwife as wealthier people sometimes payed
well for information about their stolen goods.

NARRATOR 1    The Lady Thirdpairt in the Barony of
Renfrew sent to her and speired at her wha it
was that had stolen fae her twa horns o gowd
an a croun o the same, oot o her purse.'

NARRATOR 2    'And efter Bessie had spoken wi Tam, within
twinty days she sent her word wha had them
and she got them again.'

## Scene Nine

*[Lady Blair's castle]*

NARRATOR 1    'The Lady Blair in the pairish o Dalry had
spoken wi her sundry times aboot some claithes
that were stolen fae her.'

NARRATOR 2    'For the whilk she dang an wrackit her ain
servants.'

*[LADY BLAIR enters followed by BESSIE.]*

LADY BLAIR    The Laird is gey pleased wi the horses ye
cured last time Bessie, an Tom Reid, the
Laird's officer, wid like ye tae hae a leuk at
some o his yowes up at the Pencot. *[whispers]*
But I wantit tae speir at ye first if ye kent ony
mair aboot this ither maitter that I asked ye
aboot the last time.

BESSIE    Weel ma Lady I cannae prove onythin, but . . . hae
ye checked everythin?

LADY BLAIR    But I've been owre aw this sae mony times
afore. If I've tellt the servants yince, I've
tellt them a hunner times. I've speired at
them, warned them, I've flytit an skytit them,
but the claithes still disappear lik a boggle's
braith.

BESSIE    Whit's missin noo ma Lady?

LADY BLAIR    Leuk, here's the list. An mair things since
yestreen: a pair o sheets, pillowcases, twa pair o
stockins, a wheen o linen an serviettes, an
fower sarks, ma best yins tae.

BESSIE    Wha hae ye speired at ma Lady?

LADY BLAIR    Them aw: Janet, Nancy, Mary, Madge, young
Robert, an even auld Wull.

BESSIE    Is there onybody else ever in the hoose ma
Lady?

31

LADY BLAIR      Only ma ain faimily, an Margaret, oh an young Tom Reid, but ...

BESSIE      Margaret?

LADY BLAIR      Margaret Symple. She's kin o relatit, an she's been in ma service for a year or twa noo.

BESSIE      Oh ay that Margaret. Hae ye asked her aboot the things?

LADY BLAIR      Naw, for she's ma kinswoman's lassie. Shairly ye dinnae think, ... she widnae ...?

BESSIE      Weel, I ken she has some gey fancy washins tae hing oot, an there's a wheen o folk hae their doots aboot her.

LADY BLAIR      I'm beginnin tae hae ane or twa masel.

BESSIE      I dinnae like speakin ill o onybody ma Lady, but she can be a gey ill-willed thrawn wee lassie.

LADY BLAIR      Ay an noo that I think aboot it, she wis asking Tom Reid for mair money a while back, but she hisnae been sae bothered aboot it since ... Richt, I'll suin get tae the bottom o this! Thank ye Bessie. Noo, efter ye've seen tae Tom's yowes, come doon tae the back door, an I'll hae some bits o claithes ready for yer weans.

*[exeunt]*

*[NARRATORS return and sing the second verse of 'The Ballad of Bessie's Brew'.]*

> *Fae Lynn, Kilwinnin an Dalry*
> *Her fame goes faur an wide*
> *Tae Johnstoun, Paisley, Irvine toun*
> *Aw roon the countryside.*

# Scene Ten

*[Bessie's house]*

NARRATOR 1     Thus Bessie's reputation for finding stolen goods soon spread into neighbouring parishes,

NARRATOR 2     And her 'powers' were much sought after by people in authority.

NARRATOR 3     'James Cunninghame, Chamberlain of Kilwinning, cam to her aboot some baurley that was stolen furth of the barn of Cragance.'

*[BESSIE is sweeping the floor with a broom when the sound of singing is heard outside. ANDRA JACK enters with two drinking cronies, ELKIE and WULKIE.]*

ANDRA     Oh ye're there Bessie hen. It's jist me an the lads, Elkie an Wulkie. Come in boys an we'll hae a bit crack an ... mibbie a gless or twa.

WULKIE     Or three!

ELKIE     Wull I bring it in Andra?

ANDRA     Ay, on ye go Elkie.

BESSIE      Whit's he bringin in?

ANDRA      Jisy a wee drap o usqueba.

BESSIE      Whit? Whisky?

WULKIE      Ay, the gowden liquor Bessie.

BESSIE      An whaur did ye get the money for whisky?

ANDRA      We didnae need tae pey for it.

BESSIE      Hae you been stealin?

ANDRA      Naw Bessie, weel no really.

WULKIE      We fun it!

BESSIE      Ye whit?

ELKIE      *[Entering with an earthenware flagon or bottle.]* Ay, Wulkie fun a cave fu o whisky!

BESSIE      A cave fu o whisky?

ELKIE      Ay, he's got the neb for it. He can sniff oot a still o whisky fae miles awa.

BESSIE      Ye fun a whisky still?

ANDRA      Ay, we were comin back fae the Blair Mull, an just afore we crossed the Dusk burn, Wulkie stertit snowkin the air.

WULKIE      Waftin on the wind, lik a braith o heiven.

ELKIE       An afore ye could say hauf a gill, his neb wis in the
            air, an he let oot a howl, for he aye does that
            when he smells whisky.

*[He uncorks the bottle and holds it up.]*

WULKIE      Aaaaoooow! *[howls like a wolf]*

ELKIE       See whit I mean?

BESSIE      An whaur wis the still?

ANDRA       Doon in the Dusk Glen, in the Elfhame
            caves.

ELKIE       Ay, a cave fu o gowden dewdrops.

ANDRA       Jaurs an bottles o usqueba an naebody aboot tae
            gaird it.

WULKIE      Mibbie it wis the elf folk that made it, for that's
            whaur they like tae byde.

ANDRA       Naw, no wi aw that guid baurley at the back o the
            cave, sacks o the stuff.

BESSIE      An dae ye mean tae tell me, ye jist lifted a flagon o
            whisky?

WULKIE      Naw Misses . . . three!

BESSIE      Whit, are ye daft?

ANDRA      Naw, we jist taen whit we could cairry.

WULKIE      Ay, but we'll gae back for mair!

BESSIE      Ye'll hae the law roon here efter ye.

ANDRA      Nae fear o that Bessie. Fae the wey it wis hidden, somebody's on the pauchle.

ELKIE      Ay, an they'll be keepin quate aboot twa or three jaurs o whisky, for fear o bein fun oot wi aw that baurley.

WULKIE      An we'll no tell on them either.

BESSIE      Why no? Ye should tell the Sheriff Officer, Jamie Dougall.

ELKIE      Whit? Are ye daft? An kill the goose that lays gowden eggs?

ANDRA      It widnae surprise me if Dougall had somethin tae dae wi it.

BESSIE      Weel, I've got work tae dae, honest work! Andra, I'm gaun doon tae Maggie's for the weans, but I'll no be lang.

ANDRA      It's aw richt hen, tak yer time.

BESSIE      Noo, dinnae you be drinkin owre muckle o that whisky, for ye'll hae tae watch the weans while I go an see tae Isa's lassie.

ANDRA   Ay, ay Bessie. Ye can trust me.

BESSIE   Ay, aboot as faur as I coud fling a Clydesdale cuddy! *[exits]*

ELKIE   Come on lads, drink up. I'll gie ye a race. First ane wi an empty gless gets tae kiss ma sister Bella.

WULKIE   An if ye've seen Bella, ye'd sip it awfu slow, for she's a richt hakkit auld carlin.

ANDRA   Ach, gie's a dram onywey. Here's tae the goose that lays gowden eggs.

ELKIE   An here's tae Wulkie's neb!

*[They start singing the chorus of 'Anither Gless o Whisky'.]*

> *For baurley bree ye'll hear the cry,*
> *Fae Shetland Isles tae the Borders ay,*
> *In ilka howf we like tae try,*
> *Anither gless o whisky o.*

*[Suddenly a loud knock comes to the door and they panic, trying to hide the evidence. WULKIE tries to hide the flagon, but gets his thumb stuck in the hole. He is trying to get it out with help from his friends when they notice that JAMES CUNNINGHAME has entered. WULKIE quickly puts the flagon behind his back.]*

CUNNINGHAME   Guid day tae ye. I wis directed here by Bessie Dunlop. She tellt me tae wait here.

ANDRA   Eh? Oh ay, did she?

37

CUNNINGHAME        Ay, ma name's James Cunninghame, fae
                Kilwinnin.

*[He holds out his hand, which* ANDRA *shakes apprehensively.]*

ANDRA        I'm Andra Jack, Bessie's man, an these are ma
                friens, Elkie *[shakes his hand]* an Wulkie.
                *[*WULKIE *is about to shake his hand, but changes
                his mind and grins vacantly at him.]*

CUNNINGHAME        I wis tellt that yer wife is awfu guid at
                findin things that've been stolen.

ANDRA        Ay, weel sometimes.

ELKIE        Wis it onythin valuable?

CUNNINGHAME        Ay it wis that.

ELKIE        Whit wis it ye lost Mr. Cunninghame?

CUNNINGHAME        Baurley.

*[*WULKIE *nearly has a seizure.* ELKIE *slips behind him to safeguard
the flagon.]*

ANDRA        Baurley?

CUNNINGHAME        Ay, twa dizzen sacks. I ken it's a wild goose
                chase, but I hae ma poseition tae uphaud ye
                ken.

ANDRA        Poseition?

CUNNINGHAME     Ay, I'm Chamberlain o the toun. *[WULKIE'S legs give way and he has to be held up by ELKIE and ANDRA.]* Is yer frien aw richt?

ANDRA     Eh? Oh ay. He . . . he's j..jist had some awfu bad news.

CUNNINGHAME     He's no leukin awfu guid. He's gey quate tae.

ELKIE     Ay, he is that, but he's an awfu deep thinker sae he is.

CUNNINGHAME     Ay, they say still watter rins deep.

ELKIE     Whit kin o w..w..watter?

CUNNINGHAME     Still . . . still watter.

WULKIE     *[hoarse whisper]* He kens! He kens!

ANDRA     *[trying to cover up]* Ay, mibbie she kens . . . but I'm no shair . . . aboot the baurley I mean.

CUNNINGHAME     I hope sae, for she's ma last chance. How does she ken aboot things lik this?

*[BESSIE enters with AILIE and JEANIE]*

BESSIE     Am I bein talked aboot?

ANDRA     Thank God ye're here Bessie . . . jist in time . . . I mean tae help Mr. Cunninghame.

CUNNINGHAME     Weel Bessie, dae ye think ye'll be able tae help me?

39

BESSIE      Oh ay the baurley sir. Weel a wild goose has jist
tellt me whaur it micht be. If ye gae up the
Dusk Glen, jist doon fae the Blair Mull, an leuk
in ane of the Elfhame caves, I've a feelin that
yer baurley micht be thereaboots.

CUNNINGHAME      Thank ye Bessie. I'll get up there the noo,
an if ye're richt, I'll see ye're weel rewardit.

BESSIE      That's kind o ye sir, is it no Andra?

ANDRA      Ay, oh ay!

WULKIE      *[collapsing in tears]* Aw naw, oor gowden goose's
flew awa!

CUNNINGHAME      *[as he goes]* Yer frien's in a bad wey. Mibbie
he needs a guid dram or twa tae put him back
on his feet. Guid day tae ye. *[exits]*

BESSIE      Whit's wrang? Ye've still got plenty, the man's got
his baurley back, an he's gaun tae reward us.

JEANNIE      But Daddie's drunk again.

ANDRA      Ach, it's turned oot no sae bad, when ye think
aboot it.

ELKIE      Ay, come on Wulkie, we micht as weel enjoy whit
we've got. Cheer up. *[WULKIE rises and looks at
his thumb well and truly stuck in the flagon.]* But
we'll never be able tae enjoy it if he disnae get
the finger oot!

*[They struggle to extract his thumb and eventually succeed.* WULKIE *sits sucking his thumb and the others pour drinks.* BESSIE *joins them and they sing 'Anither Gless o Whisky', along with narrators and actors for the next scene.]*

> The noble in his castle braw
> Has servants, flunkies, gowd an aw,
> But ye can tak them aw awa
> For they're no as guid as whisky o.

> *CHORUS*
> For baurley bree ye'll hear the cry,
> Fae Shetland Isles tae the Borders ay,
> In ilka howf we like tae try,
> Anither gless o whisky o.

> The kirk's an awfu dreich bit place,
> When the Meenister lifts up his face,
> An preaches tae the human race
> We shouldnae drink the whisky o.

> *CHORUS*

> The English are a glaikit crew,
> They drink a wattery kin o brew.
> The stuff they like wid mak ye spew.
> Gie me a gless o whisky o.

> *CHORUS*

# Scene Eleven

*[William Blair's house, the Strand]*

NARRATOR 1    Thus Bessie became well known as a sort of spaewife.

NARRATOR 2    There was one occasion, however, when she
              seems to have departed from her usual practice
              of curing ills and finding stolen goods.

NARRATOR 3    And may have expressed an opinion on a
              very serious question indeed.

NARRATOR 1    A question of marriage.

NARRATOR 4    'The eldest dochter of William Blair of the
              Strand was contractit and shortly to be married
              to . . . the young Laird of Baidland,' Andrew
              Crawfurd.

*[WILLIAM BLAIR lies snoring at the fire. There is a knock at the door,
which is repeated two or three times. He does not waken until his
daughter JANET eventually enters.]*

JANET    Faither there's somebody at the door.

BLAIR    Eh? Whit's that?

JANET    *[louder]* I said there's somebody at the door!

BLAIR    Whaur's Gibby? Gibby . . . Gibby! Are ye deef?

GIBBY    *[offstage]* I'll be wi ye in a meenit sir. There's
         somebody at the door.

BLAIR    I dinnae ken why I keep him on. If he's no drunk,
         he's sleepin. *[GIBBY enters]* Weel, wha is it?

GIBBY    It's ma sister Isa, wi a message fae Bessie Dunlop o
         the Lynn.

BLAIR Oh? We hinnae heard fae Bessie for a while, but she cured some seik beasts for ma brither James jist a couple o weeks back.

GIBBY Weel she says Bessie sent her.

BLAIR Whit's the message then?

GIBBY I'm no aw that shair.

BLAIR Weel, go an ask her, ye auld eejit!

*[*GIBBY *exits]*

BLAIR If he didnae hae a wey wi pigs, I'd hae got rid o him years ago!

JANET He'll aye be busy enough in this hoose then.

BLAIR Eh? *[*GIBBY *returns]* Weel, whit is it?

GIBBY She wants tae hae a word wi Miss Janet.

JANET Wi me? Whit aboot?

BLAIR Whit does she want wi her?

GIBBY She hisnae tellt me yet. Will I go an ask her again?

BLAIR Naw, naw, go an bring her in here, ya doited auld fool ye!

*[*GIBBY *exits]*

JANET      Some folk say Bessie's a bit o a witchwife.

BLAIR      Mibbie ay, but her auld mither brocht ye intae the world, an there's naebody better for curing a seik beast than Bessie.

*[GIBBY returns]*

GIBBY      It's only Miss Janet she wants tae speak tae, an no onybody else.

BLAIR      I'm no onybody else, I'm her faither.

GIBBY      Weel, she'll no tell ye.

BLAIR      Awa an tell her if she's got a message for ma dochter, she'd better tell her, an I want tae hear it as weel. This is ma hoose, an I'll no be shiftin fae it the nicht for nothin nor naebody!

*[GIBBY exits, but returns shortly after in a hurry.]*

GIBBY      Laird, Laird, ye'll hae tae come quick. There's twa poachers been seen doon bi the burn!

BLAIR      Whit? Poachers? It'll be Johnie Blak's boys again. They're aye up tae somethin!

GIBBY      Come in Isa. It's a cauld nicht tae be hingin aboot.

*[ISA enters]*

JANET      Ye wid like a word wi me?

ISA       Ay, weel, I wis only wantin tae tell Gibby . . . that . . .

JANET     Weel, get on wi it then.

ISA       It's . . . no an easy thing tae tell ye, Miss . . . a kin o
          delicate maitter ye see.

JANET     Oh is it indeed? Richt Gibby ye can go noo. *[GIBBY
          starts to go]* An nae listenin ahint the door. *[GIBBY
          exits]* Weel, whit is it that ye want tae ask me?

ISA       Miss Janet, I helped tae nurse ye when ye were a
          wean, an I widnae like tae see ye hurt.

JANET     Whit wey dae ye mean?

ISA       Miss Janet, I hear ye're tae be mairrit tae young
          Crawfurd o Baidland?

JANET     Ay, I'm contractit tae him.

ISA       Oh Miss, I've heard Bessie Dunlop say ye shouldnae
          mairry him.

JANET     Whit?

ISA       Please Miss, I . . . dinnae ken how tae tell ye.

JANET     *[shouting]* Spit it oot then!

*[GIBBY rushes in]*

GIBBY     Were ye wantin me Miss Janet?

JANET     Naw, but since ye're here, ye micht as weel fetch

Andrew. Tell him I'd like a word wi him. *[*GIBBY *exits]* Richt, noo Isa, ye hae somethin tae tell me, sae let me hear it, stracht oot.

ISA    Oh Miss, Bessie tellt me that yer mairriage tae young Crawfurd'll bring ye naethin but . . . sorra.

JANET    In whit wey?

ISA    She said he'll drive ye tae somethin awfu.

JANET    How? Whit kin o thing?

ISA    Oh Miss, she says he'll drive ye clean skyte, the wey . . . he cairries on!

JANET    The wey he cairries on . . . ?

ISA    Drive ye clean aff yer heid Miss . . . till ye wantit tae kill yersel, bi lowpin owre the Lynn! That's whit I heard her say Miss Janet, as shair as I'm leevin . . . I heard her . . .

JANET    *[angrily]* Whit dae ye mean bi comin intae ma hoose an tellin me things lik that?

ISA    *[retreating]* I'm sorry Miss, but I dinnae want ony herm I'm only tellin ye whit Bessie said. She can tell things are gonnae turn oot . . . but I'd better get hame Miss.

*[*CRAWFURD *enters with* MISS ELSPETH BLAIR, *followed later by* GIBBY.*]*

CRAWFURD       Whit's this we've got here?

JANET       A message fae Bessie Dunlop.

CRAWFURD       Oh ay?

JANET       Whaur hae ye twa been?

ELSPETH       We were needin some fresh air. There's aye a
stink in this hoose!

GIBBY       *[entering]* I jist met them comin up the paths fae
the gairden.

CRAWFURD       I wis, that is, me an Elspeth here, were jist oot
for a wee . . . walk . . . tae pass the time . . .

GIBBY       Ay Crawfurd, it's a fine nicht for it . . . a walk I
mean.

CRAWFURD       Haud yer tongue, ye auld hauf-wit ye! An whit
has she been wantin?

JANET       Ask her yersel!

CRAWFURD       Whit brings ye here?

ISA       I'm sorry sir, but . . . I cannae tell ye.

CRAWFURD       Why no?

ISA       I widnae like tae say sir . . . I've already upset Miss
Janet.

CRAWFURD       Ach, she taks offence at nothin!

JANET      Nothin! Whit she had tae say tae me wisnae aboot nothin!

*[Enter* BLAIR, *out of breath and angry.]*

BLAIR      *[coughing and spitting]* If I get ma hauns on them, I'll ... I'll ...

GIBBY      Did ye no catch the poachers Laird?

BLAIR      Poachers! It wisnae ony poachers, but a young couple, an they were daein things on ma property they shouldnae be daein! I chased them up through the bushes, but I lost them roun the back. A big fella, aboot your size Crawfurd, a durty big beast that's whit he is, for ...

GIBBY      Laird, I think ye'd better sit doon. It's no guid for ye tae ...

BLAIR      No guid for me! It'll no be guid for him if I get ma hauns on him. I'll teach him tae yaise ma gairden for his houghmagandie!

GIBBY      Laird, calm yersel doon.

BLAIR      I'll grind him doon intae bone meal for the pigs so I wull. I'll ... I'll ...

GIBBY      Laird!

BLAIR      Whit?

GIBBY      Sit doon! *[helps him into chair]*

BLAIR    *[noticing* ISA *who has been trying to slink out]* Is she
        still here? Whit wis she wantin?

GIBBY    I think ye were jist gaun, Isa. I'll see ye tae the
        door.

BLAIR    Let her be! Whit did she say tae ye Janet?

JANET    Bessie Dunlop tellt her I'd be better aff haein
        nothin tae dae wi Crawfurd because he's
        nothin but a chancer! Is that true Elspeth?

CRAWFURD    Noo see here Janet . . .

JANET    Ay Crawfurd?

CRAWFURD    *[turning his anger on* ISA*]* Whit dae ye mean, ya
        gossipin bitch ye, comin here tae blacken ma
        guid name? If I hear ye mention this again, I'll
        report ye tae the kirk elders, an they'll suin hae
        ye roastin in a taur barrel!

*[*ISA *tries to hide behind* GIBBY*.]*

BLAIR    I think ye'd better see yer sister oot Gibby, for I
        think she'd like tae get hame.

ISA    Thank ye Laird. I'm awfu sorry Miss. I thocht I wis
        helpin ye Miss Janet. I didnae ken . . . I'm
        sorry . . .

*[Silence, after* GIBBY *exits with* ISA*.]*

BLAIR    Oh ay, I see it aw noo. This is a braw mess we're in,

is it no Crawfurd? An whit'll yer uncle, the Rev.
Crawfurd, hae tae say aboot this, eh?

CRAWFURD    Ye dinnae believe whit she had tae say, dae ye?

ELSPETH    Silly auld gossip. Everybody kens whit Andra's
like!

JANET    An whit is he like, Elspeth? Mibbie ye'll can tell us
whit he's really like?

CRAWFURD    It's no true!

BLAIR    Whit's no?

JANET    I think Isa jist tellt me whit everybody else seems
tae ken but me. *[silence]*

CRAWFURD    Listen hen, ma name's no Crawfurd o
Baidland for nothin. Jist think yersel lucky tae
be . . .

BLAIR    An oor name isnae Blair o Strand for nothin. Mind
that ye're contractit intae this hoose, an mairry
ye wull.

CRAWFURD    I dinnae think Janet'll huv me!

BLAIR    Naw, mibbie no Janet, but Elspeth wull, an it's her
ye're mairryin, for if ye mak yer bed, ye maun
lie in it!

CRAWFURD    An does the same contract an the same tocher
go wi her?

BLAIR      Tocher? Efter whit ye've done tae ma lassie.

CRAWFURD      But we made an agreement.

BLAIR      Ay, an this is a new ane, an unless ye want the guid
                name o Crawfurd caked wi glaur, ye'd better
                keep yer mooth shut.

GIBBY      *[as he enters]* I've seen Isa oot the gate, Laird.
                She's awfu sorry for tellin ye whit Bessie
                Dunlop said.

CRAWFURD      Tae Hell wi Bessie Dunlop!

BLAIR      She'll no get near the place for the likes o you!

CRAWFURD      Come on Elspeth. Ye were richt aboot the
                stink in this place!

*[CRAWFURD and ELSPETH exit, followed by BLAIR and GIBBY. JANET
is left on her own.]*

### I HAD A LOVE

('Bessie's Brew' tune, slower and sadder)

> *I had a love was mine alane*
> *An mairrit we would be.*
> *Tae be a husband he is gane*
> *But he'll neer be ane tae me.*

> *CHORUS*
> *Intae ma hame, a carlin came,*
> *Her guid advice tae gie me.*
> *He'll rue the day we heard her say*
> *The words tae mak him lea me.*

*She'll bind the flooers in her hair*
*Tae please her lover fine*
*While vows he maks tae her sae fair*
*Wha promised he'd be mine.*

*CHORUS*

# Act Two

## Scene One

*[The Kirk. The cast stand with heads bowed facing the pulpit.]*

MINISTER    When, O when shall ye turn fae this wickedness
that is an abomination in the sicht o the Lord?
For the works o Satan are deeply rootit in this
evil pairish, fae the heathen customs at
Halloween an Yuletide tae the profanities o
Beltane.

Let them that hae made their pagan offerins
at sic ungodly places as the Aitnock Well, an
them that hae prayed in the black o nicht at
papish shrines an idols, an abuin aw, them that
hae danced wi the devil in the flames o Beltane
on the Coort Hill or the Fairy Knowe, let them
aw ken, let every sinner ken O Lord, that their
souls are slitherin intae the sulphurous pit o
Satanism.

An furthermair, he has temptit ye wi his
pagan sangs an music that hae left this toun
reekin wi drunkenness an fornication.

*[Black out and sudden drunken burst of 'Anither Gless o Whisky']*

# Scene Two

*[Market day, Irvine. Busy street scene, with chapmen, jugglers, buskers, beggars, etc. Street musicians strike up a jaunty version of the 'Whisky' song and some of the crowd begin to dance. As it finishes, and the noise dies down, NARRATORS come forward.]*

NARRATOR 1    By now, Bessie's reputation for recovering stolen goods had become legendary throughout Ayrshire and the neighbouring counties.

NARRATOR 2    'Being demanded of William Kyle, burgess of Irvine, wha was the stealer of Hew Scott's cloak, a burgess o the same toun,'

NARRATOR 3    She 'answered that the cloak could not be gotten, because it was taen awa by Mailie Boyd, dweller in the same toun, and was pit oot o the fashion of a cloak into a kirtle', or gown.

*[BESSIE and ANDRA come forward from the crowd.]*

BESSIE    Richt Andra I'm gain doon tae the luckenbooths tae buy somethin for Ailie and Jeanie, an I've still tae meet Kyle an tell him . . .

ANDRA    Ay, but I've an awfu drouth on me hen, an it's a lang road hame tae Dalry. I'll jist gae owre tae the inn for a jug or twa.

BESSIE    Mind an be here afore five then, an if I'm no back ye'll hae tae gie Kyle his money back an tell him whit's happened tae Scott's cloak.

ANDRA       Oh ay, I'll no let ye doon hen.

BESSIE      An see ye stey sober then, an keep awa fae Elkie an
            Wulkie.

*[BESSIE starts to go.]*

ANDRA       Ay, but since it wis thaim that tellt us whit
            happened tae the cloak, mibbie it wid be better
            if Kyle fun oot fae . . .

*[BESSIE has gone. ANDRA then exits in the opposite direction.]*

*[As the crowd gradually drifts away, WILLIAM KYLE and HEW
SCOTT emerge from a side-street and hang around waiting for
BESSIE. Drunken singing and laughter can be heard offstage from
the pub.]*

SCOTT       Ye're sure that she kens whaur tae meet
            ye?

KYLE        Ay, I've tellt ye. She'll no be lang.

SCOTT       So ye keep sayin. I jist hope that I huvnae been
            peyin ye guid siller for nothing Kyle.

KYLE        Ay, an mind that ye pey me the rest when she brings
            ye the cloak back.

SCOTT       I'd hae been cheaper buyin a new ane!

KYLE        Why did ye no then?

SCOTT       Ma wife disnae ken I've lost it.

KYLE   Jist as I thocht.

SCOTT   Ay, an I'd better get it back.

KYLE   Of coorse ye'll get it back. Bessie Dunlop is a
       witchwife, an they tell me she can fin onythin
       that's been lost. A cloak should be nae bother
       tae the likes o her.

SCOTT   The mercat's nearly by. *[sounds of wild revelry from
       pub]* An if we hing aboot this corner much
       langer, Mailie Boyd an her cronies'll see us.

KYLE   Ay, a guid burgess o the toun shouldnae be seen
       keepin company wi the likes o her!

SCOTT   It's aboot time the law wis pittin dirt like that in
       their place an teachin them tae hae mair
       respect for daicent folk.

KYLE   She's a wullcat aw richt. I'll neer forget that nicht
       we met her when we were fu an . . .

SCOTT   Ach will ye stop bletherin aboot Mailie Boyd. She's
       got nothing tae dae wi aw this. *[Sounds of raucous
       laughter from the pub, as a few drunks appear
       sidestage, laughing and pointing at* SCOTT *and*
       KYLE.*]* But hauf the toun seems tae ken aboot
       it, nae doot thanks tae you an yer big mooth!

KYLE   I huvnae said a word tae naebody!

*[*MAILIE *and cronies, including* ELKIE *and* WULKIE, *stagger out of
the pub and head towards* KYLE *and* SCOTT.*]*

SCOTT   Damnation! We've waited here lang enough Kyle.

KYLE    Ay ye're richt. If Bessie Dunlop's in Irvine, I'll suin
        lay hauns on her. I'm gaun for the toon
        constable, for I want ma money back.

SCOTT   I'll come wi ye. *[starting to look a bit uneasy, as the
        drunks approach]*

KYLE    Naw, you wait here, jist in case. *[exits hurriedly]*

SCOTT   But whit'll I dae if . . .

*[MAILIE and her friend, JINTIE, surround SCOTT.]*

MAILIE  It's yersel Hewie ma dooie! *[laughter from
        cronies]*

SCOTT   Eh . . . ay . . . it is that . . . Mailie.

JINTIE  Hewie, ye're really no sish a bad leukin man . . . for
        yer age.

ELKIE   I daur say ye've had worse Jintie, often!

JINTIE  Naw, no aw that often! *[laughter]*

MAILIE  *[lifting her skirts a little]* Here, how dae ye like ma
        new kirtle Jintie?

JINTIE  Oh ay, it's awfu braw, so it is. Dae ye no think sae
        Hewie?

SCOTT   Oh . . . eh . . . ay . . . it's . . . it's . . .

JINTIE      Noo, Hewie, dinnae get owre excitit, for I'm shair it's no aw that guid for ye tae be thinkin aboot things lik that at your age.

MAILIE     Dinnae you fash yersel wi her Hewie ma dooie. Jist you come wi me an I'll . . .

ELKIE      Ay, an ye'll see mair than her kirtle Hewie!

SCOTT     N..n..naw . . . I cannae. No the nicht onywey. I've got tae wait for somebody.

WULKIE    Zit onybody we ken, Hewie?

SCOTT     Eh, ay. I mean naw!

MAILIE     Is it mibbie anither wumman Hewie? Are ye two-timin me? *[wild laughter]*

SCOTT     Naw, I mean . . . ay. Weel naw . . . she's no really a wumman jist . . .

MAILIE     No really a wumman!

JINTIE      Whit kin o craitur wid that be Mailie?

ELKIE      She souns gey queer onywey! *[more laughter]*

WULKIE    Ish she mibbie fae Dalry bi ony chance?

MAILIE     Ay, weel they're aw a bit queer up there. *[pushes* WULKIE*]*

JINTIE      I've heard that they still eat folk in Dalry.

ELKIE     Naw, that's in Kilburnie.

MAILIE     Hewie, it widnae be the Dalry witch ye're waitin
          on, wid it?

SCOTT     Wha tellt ye that?

MAILIE     It wis a wee burd, Hewie ma chookie. *[chortles from
          others]*

JINTIE     Ay, they say she's a witch richt enough.

WULKIE     Hey, ye'd better watch yershel there Shewie.

MAILIE     She micht turn ye intae a big black cat or
          somethin lik . . .

JINTIE     A fat creeshie puddock?

MAILIE     Naw, mair like a wee sleekit moose! *[laughter]*

ELKIE     Mailie, it's time we were on oor wey, for we've got
          tae help Andra drink the rest o his money afore
          he gangs hame.

WULKIE     Ay sho we huv. Ish been a pleeshure sheein
          ye Shewie! *[shakes his hand]* But I'll huv
          tae go, afore I stert tae leek oot! *[guffaws]*

JINTIE     Haud on Wulkie, an I'll come an gie ye a haun.
          *[exit JINTIE and WULKIE]*

MAILIE     Weel I hope ye get yer cloak back, Hewie.

SCOTT      Eh? Whit? How the . . .

MAILIE     It'll be a bluidy miracle if ye dae! *[mocking laughter as they exit]*

SCOTT      How the hell dae they ken aboot it?

*[SCOTT is about to exit when JAMES BLAIR enters hurriedly, looking around for someone.]*

BLAIR     Hew Scott?

SCOTT      Ay, but wha wants tae ken?

BLAIR     I'm James Blair fae Dalry. Yer frien Kyle sent me tae fin ye. I wis jist on ma wey hame when I saw Kyle an the constable takin Bessie Dunlop tae the Tollbooth jyle.

SCOTT      Tollbooth? Whit are they daein that for?

BLAIR     That's whit I wid like tae ken masel, but it seems tae be aboot somethin that wis stolen.

SCOTT      Hellsfire! If I've peyed Kyle aw that money for nuthin, I'll . . .

BLAIR     Ye'd better get doon tae the Tollbooth for there's an ugly crowd getherin, an I widnae like tae see ony herm comin tae her. *[exeunt]*

# Scene Three

*[Outside the Tollbooth.* WILLIAM KYLE *and a* CONSTABLE *drag* BESSIE *towards the Tollbooth door, followed by an angry crowd, including* MAILIE *and friends, shouting abuse and threatening violence.]*

VOICE 1    Awa back tae Dalry ya bitch ye!

VOICE 2    Ay, we dinnae want her kind in oor toun.

MAILIE    Jist let me get ma hauns on her!

JINTIE    I'll tear the hair oot her heid!

MAILIE    She's a witch, that's whit she is.

*[*MAILIE *lunges at* BESSIE *and knocks her down, but* BESSIE *is dragged to her feet and pulled into the Tollbooth.]*

MAILIE    A guid leatherin wid teach her tae slander honest folk.

VOICE 3    It's the rope she's needin!

VOICE 4    A guid roastin wid be better!

JINTIE    Jist gie her tae us!

MAILIE    We'll see she disnae cause ony bother in Irvine again.

KYLE    Noo Mailie, ye'd better get hame an lea this tae us.

MAILIE    Awa ye go ya durty auld burgess ye! You an yer like are aw the same.

*[KYLE exits hurriedly]*

VOICE 5     Ay, it's time ye were daein mair for the puir folk
            o this toun.

VOICE 6     Daicent buddies cannae even gae aboot their
            lawfu business.

MAILIE      They interlowpers are aye causin bother at the
            Mercat.

JINTIE      Ay, it's time somethin wis duin aboot them.

MAILIE      Ye're no even safe in yer ain bed these days.

WULKIE      An witches fleein aw roun the countryside.

ELKIE       It's awfu times we're leevin in, Wulkie, so it is.

*[blackout]*

# Scene Four

*[A cell in the Tollbooth. The noise of the crowd is heard offstage.
JAILER leads BESSIE into the cell and throws her onto the floor where
she lies sobbing. KYLE follows them in.]*

KYLE        Richt, an nane o yer lees this time! If ye tell me the
            truth, I'll see nae herm comes tae ye, an we'll
            let ye go hame, if ye gie me aw the money back.

BESSIE      *[rising to her knees]* But I've tellt ye aw I ken sir.
            He'll no get the cloak back, cause Mailie Boyd's
            made it intae a kirtle, but ma man's got yer
            money for ye doon at the inn.

KYLE      Mibbie ye are tellin the truth, but Scott's no gonnae like it.

*[SCOTT enters]*

SCOTT      Whit am I no gonnae like?

KYLE      She says Mailie Boyd stole yer cloak an made hersel a new kirtle wi it.

SCOTT      Are you sayin I've been keepin company wi the likes o Mailie Boyd?

BESSIE      I cannae say sir, but I've heard she's got yer cloak.

SCOTT      *[strikes her]* Ya leein bitch ye. I'm no staunin for this Kyle.

KYLE      Naw, I didnae think ye wid, but at least we'll get oor money back.

SCOTT      An I'm no steyin here tae listen tae ony mair o her slanders. Jist lock her up jyler, an lea her tae the rats.

KYLE      Ay, an mibbie she'll learn no tae come here again miscawin the burgesses o Irvine.

SCOTT      *[as they leave]* Jyler, ye ken a douce burgess o the toun lik me widnae be seen deid wi the likes o Mailie Boyd!

JAILER      Indeed ay sir, I mean naw sir.

63

*[Eventually noises subside and fade away, until we hear* BESSIE *sobbing quietly. As it grows darker, the* JAILER *returns with* JAMES BLAIR.]*

BLAIR      Bessie? Bessie Dunlop? It's me, James Blair o the Strand. Brither tae William, ye ken.

BESSIE      O sir, help me. I didnae mean tae cause ony bother.

BLAIR      It's aw richt noo lassie. I've come tae tak ye hame.

BESSIE      *[runs to him, sobbing]* Oh sir, Whit've I duin?

BLAIR      There noo lassie, calm yersel doon. I'll see ye dinnae come tae ony mair bother.

BESSIE      O dinnae let them get me sir.

BLAIR      Ye'll be aw richt noo, Bessie. I've tellt the burgesses I'd vouch for ye, an the toon gaird have sent aw the scruff packin.

BESSIE      I cannae thank ye enough sir.

BLAIR      Ay, Bessie, but ye'll hae tae watch whit ye're sayin in a place lik this, for it's no Dalry, whaur folk aw ken ye.

BESSIE      I wis only tryin tae help. Kyle came tae Dalry an asked me.

BLAIR      *[as they leave]* Ye'd be better aff jist leukin efter yersel, lassie, for I'm thinkin they'll no aye be

somebody aboot tae help you when ye need it.
But I hae tae thank ye for helpin Janet, ma
brither William's dochter, for she's faur too
guid for a neer-dae-weel lik Andrew Crawfurd.

BESSIE      I'm no awfu shair whit ye're talkin aboot sir, but I
hae tae thank ye for yer kindness. *[exeunt]*

# Scene Five

*[The crossroads.* MAGGIE JACK *enters with* LIZZIE *and* JENNIE, *followed by* ELKIE *and* WULKIE.]

LIZZIE      Imagine sayin a thing lik that. Ye'd think that
naebody else had ever brocht a wean intae the
world but her.

MAGGIE      She kens aboot the weans aw richt, but she's no
aye shair aboot some o the faithers.

WULKIE      Dinnae leuk at me Misses!

JENNIE      Wha wid want the lik o you for a faither? *[*MARTHA
*enters]* It's a grand day Martha.

MARTHA      Ay so it is. Here Maggie, is that richt whit Isa wis
saying aboot Bessie?

MAGGIE      Whit aboot?

MARTHA      She said Bessie wis pit in the jyle at Irvine for
tellin lees aboot some o the burgesses.

ELKIE      Ay, we seen it aw, did we no Wulkie?

WULKIE     Jist as she says, richt enough.

MAGGIE     Ach, they're haiverin as usual. Bessie had a wee bit o bother, but no for lang, for Jamie Blair sorted it aw oot. It wis jist a kin o . . . mistake.

ELKIE     Ay, I widnae trust onybody fae Irvine.

WULKIE     Ye shoulda seen Scott's face. It wis lik a burst beetroot, when he fun oot aboot the cloak.

ELKIE     Ay an he neer saw his money again either, did he Wulkie? *[both laugh]*

MAGGIE     An she wis tellin the truth fae whit I hear.

ELKIE     Ye neer said a truer word hen.

JENNIE     Aw the same, Bessie should hae kent better than tae be gettin intae bother wi burgesses an the like.

ELKIE     Dinnae go dabblin in things that are nane o yer ain business. That's whit I've aye said, is it no Wulkie?

WULKIE     Yer very words Elkie, yer very words.

*[ELKIE and WULKIE exit as ISA and MARGARET SYMPLE enter]*

MARTHA     They twa wid steal fae their grannie's purse for the price o a drink.

LIZZIE     Bessie wis jist tryin tae help somebody. Is that no richt Maggie?

MAGGIE    She aye does her best tae help ither folk. Ye aw
          ken that.

MARGARET    Weel, she wisnae very smert at helpin the
            burgesses!

MAGGIE    Margaret Symple, everybody kens why you're
          agin oor Bessie.

MARGARET    Oh ay? She never proved onythin!

MAGGIE    Ye got yer mairchin orders fae Lady Blair onywey.

MARGARET    I left o ma ain free will.

MAGGIE    Oh? It must've been an awfu sudden decision
          then. Onywey, some o us hae honest work tae
          dae. Are ye comin Lizzie?

LIZZIE    I'll be doon later on, Maggie. I've got ... ane or
          twa ... things tae get.

MAGGIE    Richt, I'm awa hame. Guid day tae ye aw. *[exits]*

LIZZIE    Did ye hear aboot whit happened tae Andra Jack
          in Irvine?

ISA    Ay, cairtit hame aw the road, fu as a puggie.

JENNIE    He's been the same since he stertit keepin
          company wi they twa whisky sleverin
          whittericks, Elkie an Wulkie.

JENNIE    An I hear Maggie Jack's man's jist aboot as bad.

67

LIZZIE    Is that a fact?

JENNIE    Ay, so they tell me.

ISA    Weel, they're brithers, aren't they, so it's in their bluid.

MARGARET    Ay, mair bad blood, if ye ask me.

MARTHA    Mind ye, when ye think aboot it, Bessie's not got it easy, wi sae mony folk wantin cures an things, an a drunken waster for a man.

JENNIE    Ay, that's a fact.

MARGARET    But if she gaes aroun sayin things aboot folk that arenae true, it serves her richt if she gets intae bother. An that Maggie Jack better watch her step tae.

ISA    I think we'd be better keepin weel back fae baith o them fae noo on.

LIZZIE    She's fair brocht shame on the toun o Dalry.

MARGARET    Bessie Dunlop's gonnae bring us a lot mair bother, mark ma words.

LIZZIE    Ay, an her mither wis a richt auld witchwife tae.

ISA    An ye aw ken whit the Meenister says aboot witches?

ALL    They are the sisters o Satan!

*[They sing the chorus and first verse of the song.]*

### THE GUID NEEBOURS

*CHORUS*
*We are guid neebours tae ane an aw,*
*We never dae ony herm at aw.*
*We like tae clack aboot aw that's new,*
*An dinnae think we've forgotten you!*
*An dinnae think we've forgotten you!*

*We are guid neebours tae ilka chiel,*
*We tell the truth, an we shame the Deil.*
*We'll mak yer lugs burn wi whit we say.*
*Sae jist be carefu wi whit ye dae!*
*Sae jist be carefu wi whit ye dae!*

# Scene Six

*[The Monkcastle woods. 'Fine Flooers' tune played quietly in background.]*

TAM        I'm sorry tae hear aboot yer trouble in Irvine, lass.

BESSIE      I had ma douts aboot it as suin as I spoke tae Kyle, but when Andra fun oot aboot the cloak, I thocht it widnae dae ony herm tae tell the burgesses the truth.

TAM        Ye'll bring yersel a lot mair bother if ye aye speak the truth Bessie.

BESSIE      But it cannae be richt tae tell folk lees, an I believe it's richt tae try an help folk.

TAM       Corbies lik Kyle an Scott dinnae need yer help
              Bessie, an there's owre mony seekin their kin o
              help fae ye.

BESSIE    Yet whit can I dae if folk keep leukin for that kin o
              help?

TAM       Jist tell them ye ken nocht aboot it lassie.

BESSIE    But, they micht get angry wi thinkin I wisnae
              wantin tae help them, when I've been able tae
              help ithers.

TAM       There'll aye be folk lik that Bessie.

BESSIE    Ay, an noo Andra tells me that Jamieson an Baird,
              fae Waterston, want me tae fin out wha stole
              their plough irons last week.

TAM       They shouldnae need your help tae get them back,
              for things lik that are for the Sheriff Officer,
              Jamie Dougall, tae deal wi, in his ain sleekit
              wey. He's aye on the pauchle wi somethin, jist
              lik his auld faither afore him . . . but keep weel
              awa fae maitters lik that Bessie, for there's nae
              tellin whaur it could lead tae.

BESSIE    Ay, I ken how tae heal folk's troubles, but as ye say,
              Tam, owre mony are askin me for things I
              cannae cure.

TAM       These wuids gie us aw we need tae heal the body an
              mind, but nae dout there are illnesses that

Nature cannae cure, lik greedy an stupit folk blamin their neebours for their ain ills.

BESSIE     An I think some o ma ain neebours arenae as frienly as they used tae be.

TAM     Jist watch whit ye say tae them, an yer man tae, Bessie.

[*blackout as music fades*]

# Scene Seven

[*The Blair Smiddy*]

NARRATOR 1     Bessie Dunlop had attracted attention from the local gentry for some time but, through events in Irvine, it now seemed that she was drawing the evil eye of the law upon her.

NARRATOR 2     'Appliet to by Henry Jamieson and James Baird, in the Mains of Waterstoun, to get them knowledge wha had stolen their plough irons, fittick (chains) and mussel (bridle).'

NARRATOR 3     Bessie seems to have learned that Jamieson and Baird's plough irons were stolen by Johnie and George Blak, blacksmiths, and 'that the coulter (blade) and sock (ploughshare) were lying in their hoose, betwixt ane muckle ark (box) and a great kist (chest)'.

NARRATOR 4     Furthermore, she seems to have known that the Sheriff Officer, Jamie Dougall, had been bribed not to find them.

NARRATOR 5      To peasant farmers, ploughing gear was
                extremely important and expensive equipment.

[JOHNIE BLAK *and his sons,* GABRIEL *and* GEORDIE, *enter with*
                JAMIE DOUGALL, *Sheriff Officer.*]

JOHNIE       Weel Jamie, thank ye for yer help wi this wee bit
             o preuch, but ye ken whit the boys are like wi
             a drink in them, jist lik ye were yersel Jamie,
             eh?

DOUGALL      Ay . . . hm . . . richt. I'll see yer boys dinnae get
             intae bother owre the plough irons, but they
             better learn tae keep their thievin hauns tae
             thirsel, or I'll mibbie hae tae lock them up ae
             day.

JOHNIE       Oh ay, ay, I'll see tae that aw richt, an I believe we
             agreed on twa pound, did we no?

DOUGALL      Three

GABRIEL/GEORDIE      Whit?

GEORDIE      Ye're gey thrawn tae deal wi, Dougall.

DOUGALL      I huv tae be, wi the likes o you.

GABRIEL      Oh ay, ye'll hae yer expenses tae think aboot,
             Dougall.

DOUGALL      Are yous gonnae complain aboot it then?

JOHNIE       Naw, Jamie, the boys arenae complainin. It's jist their wey. We've come tae a wee agreement that suits aw concernt, even though it is a wee bit mair than whit we said afore, but three pound is still a bargain for aw that gear Jamie.

DOUGALL    Fine, fine, sae it's aw weel covert up.

JOHNIE    It is that Jamie. Ye widnae fin it noo if ye'd a hunner men.

GABRIEL    Ay, there's neebody lik Dougall for coverin things up.

JOHNIE    Gabbie, shut yer gub! They boys'll be the daith o me yet, Jamie, for they're as twistit as a carlin's corpse.

DOUGALL    Listen ma boy, if it wisnae for yer faither here. I'd hae ye rottin in the jyle, afore ye could say . . . Bessie Dunlop!

GABRIEL    Whit's Bessie Dunlop got tae dae wi aw this?

DOUGALL    Ye'll mibbie fin oot in a meenit, for oor friens are comin up the road. *[looking off stage]*

JOHNIE    Bluidy Hell! It's Jamieson an Baird.

GEORDIE    Richt, we'll see how guid ye are noo at keepin yer word, Dougall.

JOHNIE    It's time we were shootin the craw lads.

GABRIEL    Ye'd better perform yer duty then Dougall.

DOUGALL    An if ye ken whit's guid for ye, ye'll keep yer
           mooths shut.

GABRIEL    Oh ay, interferin wi the coorse o justice is a
           serious crime. Come on faither. *[exeunt]*

*[JAMIESON and BAIRD enter from the opposite direction.]*

DOUGALL    Guid day tae ye, Jamieson, Baird.

BAIRD      Ay, Dougall. Hae ye searched the place yet?

DOUGALL    I've checked roon the back o the smiddy, jist as
           ye tellt me.

JAMIESON   Withoot onybody seein ye?

DOUGALL    Ay.

BAIRD/JAMIESON    Weel?

DOUGALL    There's nothin there.

BAIRD/JAMIESON    Eh? Whit?

DOUGALL    Ay, an if ye'll tak ma advice, ye'll stop listenin
           tae a lot o auld wife's blethers.

JAMIESON   Auld wife's blethers, is it?

BAIRD      I dout there's mair then jist blethers tae whit
           Andra Jack tellt us, an we'd tae pey guid siller
           tae get the truth oot o him, for he wisnae owre
           keen on tellin us.

DOUGALL     An whit exactly did he tell ye?

BAIRD       His wife, Bessie, tellt him whaur oor gear wis.

DOUGALL     Oh, ay, she tellt him it was ahint a kist or
            somethin.

JAMIESON    The coulter an sock are atween a muckle ark an
            a great kist.

DOUGALL     So whit?

BAIRD       An she even tellt him they took it awa on a
            grey horse on a Setturday nicht, an they've
            got a grey cuddie tied up roun the back
            there.

DOUGALL     That's nae evidence that wid staun up in coort.

JAMIESON    Yer evidence is in there!

BAIRD       Come on, we'll no fin it staunin here.

DOUGALL     *[as they exit towards the smiddy]* Whit's aw yer
            hurry? It's no gonnae run awa.

*[The* BLAKS *enter furtively from the opposite direction.* GEORDIE
*climbs onto a box to watch the offstage search through a hole.]*

GABRIEL     Whit's happenin?

JOHNIE      Can ye see them?

GEORDIE     Naw . . . oh haud on, I can see them noo.

JOHNIE/GABRIEL    Whit are they daein? Whit are they daein?

GEORDIE       Nothin!

GABRIEL       They cannae be daein nothin!

GEORDIE       They're leukin.

GABRIEL       Whit are they leukin at?

GEORDIE       Jist leukin roun aboot.

GABRIEL       Come doon oot o there, ya numptie ye!

*[They change places]*

JOHNIE       Whit are they daein noo?

GABRIEL       I cannae see them.

GEORDIE       Whit's happenin?

GABRIEL       I cannae tell, but . . . I dinnae think they've fun
              onythin.

*[BAIRD, JAMIESON and DOUGALL enter, unnoticed.]*

JOHNIE       Whaur the hell are they?

*[GEORDIE turns and sees them, taps on JOHNIE'S shoulder and they
both turn round, elbowing GABRIEL.]*

GABRIEL       Stop it. I'll faw. *[they keep on nudging]* Whit the
              hell are ye daein . . . *[turns and falls off box]*

JAMIESON    Caught them, leukin as guilty as the Deil's
            weans.

BAIRD       Whaur hae ye hid oor irons Blak?

JAMIESON    We ken ye've got them, ya durty tykes.

DOUGALL     Noo, calm yersel Jamieson. Jist because ye fun
            nothin, ye . . .

GEORDIE     For we've nothin tae hide.

JAMIESON    Ya thievin bag o rats.

*[He pulls a knife and the* BLAKS *step back.* GABRIEL *picks up a large
hammer and swings it at* JAMIESON, *while* GEORDIE *lunges at* BAIRD
*with an iron bar.* JOHNIE *manages to pull* GEORDIE *back and*
DOUGALL *restrains* GABRIEL. BAIRD *pulls* JAMIESON *away and they
retreat.]*

BAIRD       This is aw your faut Dougall. Caw yersel a Sheriff
            Officer? You're as bad as they are. But we're no
            feenished wi ye yet. Come on Jamieson. *[They
            exit]*

JOHNIE      By God, that wis a close shave Jamie, but dinnae
            worry for I hae a wheen o witnesses tae prove
            the boys werenae owre the door the nicht they
            liftit the ploughin gear.

DOUGALL     Then how come Andra Jack tellt Jamieson an
            Baird that his wife kent everythin aboot it?
            Bessie Dunlop seems tae ken owre muckle for
            ma likin.

77

GEORDIE     How the hell does she ken about it?

JOHNIE     Ay, it beats me. I cannae figure it oot.

GABRIEL     A guid job we shiftit the stuff.

DOUGALL     Somethin'll huv tae be duin aboot her, for this is the saicont time she's brocht me bother. First the baurley an noo this.

JOHNIE     Whit can we dae?

DOUGALL     For a start, ye can take a case oot agin her for slander, an I'll hae her chairged for interferin with the coorse o justice!

GABRIEL     It's time that somebody wis pittin a stop tae the work o that bitch, for it's no canny.

DOUGALL     Bitch did ye say? I think 'witch' wid be mair like it, for ye're richt Gabriel son, it's gey uncanny.

GABRIEL     Ay, we'll suin teach her tae stick her lang neb intae oor business. She'll be sorry she ever opened her mooth. *[exeunt]*

# Scene Eight

*[The Archbishop's palace, Glasgow]*

NARRATOR 1     The Blaks and Dougall did indeed pursue the matter. Bessie was 'apprehended by the said smiths' and brought before no less a person than the Archbishop of Glasgow, James Boyd of Trochrig, the nephew of Lord Robert Boyd.

NARRATOR 2   Boyd was one of the 'tulchan' bishops
             (puppet figures) whose appointments had little
             to do with religion, but were used by the
             nobility to seize control of the Church's wealth.

NARRATOR 3   Thus James Boyd became Bishop thanks to
             his uncle, Lord Boyd.

*[Enter a* CLERK *with papers and seat, etc. for the* BISHOP. *The*
BISHOP *takes his seat.]*

CLERK    Good morning, my Lord.

BISHOP   Hm, what have we this morning?

CLERK    Only one case this morning, my Lord. The
         accused is one Elizabeth Dunlop of Lynn, in
         the parish of Dalry. Here are the details.

BISHOP   Yes, that's on my uncle's land.

CLERK    The woman is accused of slander by the local
         blacksmiths.

BISHOP   Slander? Surely that's not for me to deal with.

CLERK    The case was referred to you, my Lord, because of
         the sorcery charge.

BISHOP   Sorcery?

CLERK    Yes, my Lord she is also accused of being a witch
         by the local Sheriff Officer, although there
         doesn't seem to be much evidence, only
         hearsay.

BISHOP      Sounds rather suspicious.

CLERK       Yes, my Lord. There is in fact a note here, initialed
                by Lord Boyd.

BISHOP      Let me see . . . hm . . . 'case appears to have little
                substance . . . suggest a quick solution be found
                . . . and he also seems to have his doubts about
                the Sheriff Officer. . . hm, indeed. Well, let's
                have her accusers in first and see what they
                have to say for themselves.

*[CLERK exits and returns with the BLAKS and DOUGALL]*

BISHOP      And you are . . . ?

DOUGALL    Jamie Dougall, Sheriff Officer, my Lord.

JOHNIE      An Johnie Blak, sir.

CLERK       My Lord.

JOHNIE      My Lord, Johnie Blak, sir, an these here boys are
                my lawful sons, Gabriel an George.

BISHOP      And you accuse Bessie Dunlop of slander?

JOHNIE      Ay, my Lord, I dae that, for she accused us
                o stealin, but nae evidence o the thieved
                gear wis ever fun in oor possession, even
                after a thorough search, cairried oot by
                Jamie himsel personally in front o witnesses.

BISHOP      Is that correct, Dougall?

DOUGALL      It's the God's truth ma Lord.

JOHNIE      Ay, my Lord sir. She's spread nothin but damned lees aboot us.

BISHOP      And what exactly did she say to slander you?

JOHNIE      Oh ay . . . she tellt Jamieson an Baird that we'd preuched, eh thieved, their plough irons, but they never fun them in oor smiddy.

GEORDIE      Ay, an they're no gonnae fin them.

GABRIEL      Ay, cause they were never there.

*[DOUGAL gives them a warning look]*

BISHOP      Mm. And the sorcery charge?

DOUGALL      My Lord, she put a spell on Jamieson and Baird, makin them think the Blaks stole their gear an causin them to make a maist violent assault on the smiths an maself, whilst cairryin oot ma duties.

BISHOP      I see. Very well, lets have the accused in. *[GUARD brings in BESSIE]* And you are Elizabeth Dunlop of Lynn?

BESSIE      I am, ma Lord, Bessie Dunlop.

BISHOP      Well Bessie Dunlop, what have you to say about these grave charges of slandery and sorcery?

BESSIE       Weel ma Lord, I dinnae ken onythin aboot the law, but I dae ken that it's wrang for officers o the law tae tak money for tellin lees.

DOUGALL      A pack o lees ma Lord!

BISHOP      Indeed? You say that the Sheriff Officer has been bribed to tell lies? This is a very serious accusation Bessie.

BESSIE      I ken that, ma Lord, an mibbie he can pit his haun on the guid book an tell ye it isnae sae, but I ken I'm no tellin lees.

BISHOP      Well Dougall? Will you take a solemn oath and swear that this is not so?

DOUGALL      Ye cannae believe a word she says, ma Lord, for she's a witch. She cares nothin for the Bible.

BISHOP      You know her to be a witch?

DOUGALL      Everybody kens she's a witch.

BISHOP      And your evidence?

DOUGALL      I've already tellt ye ma Lord.

BISHOP      Surely it doesn't need a witch to make farmers angry with the persons they think stole their property? Haven't you anything more substantial than this?

*[silence]*

GABRIEL    Weel, if she's no a witch, how did she ken
          aboot . . .

BISHOP    About what?

GEORDIE    Aboot aw that we didnae dae that nicht, for . . .
          eh . . .

JOHNIE    Ma boys were at hame aw nicht yer Lordship.

GEORDIE    An aboot the money we peyed, eh I mean
          Dougall peyed us . . . for helpin . . . tae leuk for
          . . . whit got stole.

BISHOP    Very interesting indeed!

JOHNIE    Haud yer tongue boy.

BISHOP    So it seems that money changed hands after all!
          And I think you all know what I mean.

DOUGALL    Ya glaikit gomerils!

BISHOP    Quiet Dougall! I've heard enough to realise that
          nothing you say about this woman has any
          foundation in fact. In my opinion you are not
          worthy of the office you bear. As for you Blak,
          it's obvious that you and your sons have been
          involved in some very shady dealing and you
          may not have heard the last of it. Now get out
          and take your gang with you. *[The* BLAKS *and*
          DOUGALL *exeunt]*
          Well, Bessie, it seems that you have nothing
          to answer for and I shall ignore the charge of

sorcery. My uncle will be pleased to hear that the charge is false, but take care in future, as these men clearly hold spite against you. You may go. Guard, see that she is safely escorted from the town.

BESSIE   Thank you for yer kindness sir. *[as she turns to go]* I'm nae witch and I'll mind yer words ma Lord. *[exits]*

BISHOP   Clearly this woman has done no wrong, but she seems to have got mixed up in something rather nasty and I suspect it's not the last we'll hear of it. I think we'd better send off a note to Lord Boyd.

CLERK   Very wise my Lord.

*[blackout]*

# Scene Nine

*[The crossroads. MAGGIE JACK and ISA enter.]*

ISA   Whit dae ye think o aw this, Maggie?

MAGGIE   I'll ken better yince I've spoke tae Bessie.

ISA   It seems gey odd tae me onywey.

*[Enter JENNIE, LIZZIE, MARTHA, MARGARET SYMPLE and others.]*

JENNIE   Is it true richt enough, Maggie?

MAGGIE   Is whit true?

MARTHA      She's been set free an brocht hame.

MAGGIE      Ay, she's hame an ...

OTHERS      Hame? Whit, hame? I widnae hae believed it.
            Whit did they dae tae her? Is she aw richt? Is
            nothin tae happen tae her? How did she get
            aff? How did she manage it?

MARGARET    They say the Bishop was gey ill-set agin the
            Blaks fae the meenit he saw them, but Bessie
            could dae nae wrang.

MAGGIE      That jist shows the Bishop's nae fool then.

JENNIE      Jamie Dougall widnae be owre happy aboot it
            aw.

LIZZIE      He wis fair bleezin the day he came tae seize
            her.

OTHERS      Whit wis that? A seizure? He's had a seizure! Is
            that no awfu. Whit kin o seizure? Did Bessie pit
            a curse on him? I tell ye she's uncanny. Whit'll
            she dae next? *[etc.]*

JENNIE      Is he leevin or is he deein?

OTHERS      Deein did ye say? Is he deein? Deein? Ay, deein!
            Deein!

MARGARET    I hear he's mair a corpse than a leevin sowl.

MARTHA      Why did the Bishop let her go?

MARGARET    If she pit a curse on Jamie Dougall, then she
            must hae pit a spell on the Bishop.

OTHERS      A curse? A spell? Ay, a spell. On the Bishop? Pit a
            spell on the Bishop! If she can dae that tae a
            Bishop, whit can she no dae?

MAGGIE      Haud yer tongues! Margaret Symple, ye ken nae
            mair aboot it than I dae.

OTHERS      Whit dae ye ken Maggie? Tell us whit ye ken. Tell
            us aw aboot it Maggie. *[etc.]*

MAGGIE      I dinnae ken ony mair aboot it, but I ken, as weel
            as ye ken yersels, whit Jamie Dougall's like. An
            if ye believe Margaret Symple, ye'll believe
            onythin!

MARTHA      Ay, ye're richt there Maggie.

MARGARET    I'm no takin that fae the like o you Maggie
            Jack!

MAGGIE      You widnae ken the truth, if it belted ye on the
            mooth.

ISA         *[holding Maggie back]* Noo, Maggie, calm yersel doon.
            Margaret's jist tellin ye whit she's heard, an
            some o us hae heard an awfu lot worse.

JENNIE      We aw ken whit the Kirk elders hae been sayin.

OTHERS      Ay, ay, we huv that. God save us.

JENNIE      An I hear Crawfurd o Baidlan's speaking gey ill o her.

LIZZIE      An awfu shame aboot him an Janet Blair wis it no?

ISA      Ay, imagin sendin me tae warn Miss Janet. I wis black affrontit so I wis.

OTHERS      *[nodding in agreement]* Ay, ay, oh ay. *[etc.]*

JENNIE      Ye see Maggie, she's brocht bother tae a wheen o folk.

MARGARET      She's went owre faur this time, if ye ask me.

MAGGIE      Naebody's askin you.

ISA      *[taking* MAGGIE *aside]* Listen Maggie, ye'll huv tae try an dae somethin, for she cannae go on . . .

MARGARET      She'll land us aw in bother ane o these days.

MARTHA      Sh, watch whit ye're sayin.

*[*BESSIE *has appeared behind them.]*

OTHERS      Sh, sh, wheesht, it's Bessie . . . Bessie!

JENNIE      Eh, we're . . . eh . . . awfu sorry, eh I mean awfu gled tae see ye hame Bessie.

OTHERS      Ay, ay, oh ay, we are that, so we are, *[etc.]*

MARTHA     We're awfu sorry aboot whit happened, Bessie.

OTHERS     Ay, oh ay, an it's no richt, so it's no, whit a shame
           etc. But we'll be seein ye. Time we were aw
           gettin . . . hame. Ay, ay, we cannae staun aboot
           here bletherin aw day. We'll see yous. *[all start
           to drift off, slowly]*

MARGARET     Mibbie she'll hae learnt noo that she
             cannae go aboot meddlin in ither folk's
             business.

MAGGIE     Ye'd dae weel tae hae mind o that yersel,
           Margaret.

MARGARET     It's you that'll hae tae watch yer tongue fae
             noo on Maggie!

*[MARGARET SYMPLE joins the others sidestage where they stay,
whispering and watching BESSIE, who now comes forward, looking
rather anxious.]*

BESSIE     Maggie, Maggie, whit's wrang wi everybody?

MAGGIE     Ach, it disnae tak much tae upset some folk.

BESSIE     Ay, but . . . why are they feart tae talk tae
           me?

MAGGIE     Listen Bessie, ye'll hae tae watch . . . folk are
           sayin things aboot ye.

BESSIE     That's nothin new.

MAGGIE Ay, but some are sayin gey evil things aboot ye,
an I ken ye dinnae deserve that, but . . .

BESSIE I've jist aye tried tae help onybody that asked.

MAGGIE Ay, but they didnae aw need yer help Bessie.

BESSIE I ken that noo, but it wisnae me that tellt Jamieson
an Baird. Andra tellt them whit he heard fae
Elkie an Wulkie, an I didnae ken I wid get the
blame.

MAGGIE He's gonnae land us aw in trouble, if he disnae
learn tae shut his mooth, an keep aff the
drink.

BESSIE Ay, an I've nae cure for whit's wrang wi him
noo.

MAGGIE We'll hae tae dae somethin wi him.

BESSIE I've tried afore Maggie, an I'll try again, but whit
aboot ither folk that come an ask me tae help
them.

MAGGIE Jist say naw.

BESSIE I'll try tae.

MAGGIE Ye'll huv tae, for ye'd better stert jist leukin efter
yersel, insteid o ither folk.

*[As* BESSIE *and* MAGGIE *leave, the others watch them go and then
come together to sing.]*

### THE GUID NEEBOURS

*CHORUS*
*We are guid neebours tae ane an aw*
*We never dae ony herm at aw*
*We like tae clack aboot aw that's new,*
*An dinnae think we've forgotten you!*
*An dinnae think we've forgotten you!*

*We are guid neebours, an for a while*
*We'll greet ye fairly wi frienly smile*
*But wheneer on us yer back ye turn,*
*If tongues were flames, ye wid shairly burn!*
*If tongues were flames, ye wid shairly burn!*

*CHORUS*

## Scene Ten

*[The Monkcastle woods. 'Fine Flooers' tune, as before.]*

BESSIE      Maggie says some o the Elders hae been warnin
folk aboot me.

TAM      Then that could mean real trouble for ye lass.

BESSIE      Whit can I dae?

TAM      Listen tae me Bessie. A lot o bother has come tae ye
through tryin tae help owre mony folk, an
mibbie some o that's due tae me. I didnae
mean tae stey in these pairts sae lang, an
mibbie it's time noo tae move on. If ye've a
mind tae, ye could come awa wi me.

BESSIE      Lea hame?

TAM    I'm feart o whit micht happen, Bessie. Dae ye no
       see? The Kirk an the law cannae hae ye gaun
       roun makin folk believe in the auld cures an
       the auld faiths.

BESSIE But I've duin naebody ony herm, an I've brocht a
       lot of guid tae folk that needed it.

TAM    I ken that lass, but it's no that simple. Bessie tak ma
       advice an get awa while ye can.

BESSIE I cannae . . . an but whit aboot ma weans, an
       Andra, naw . . .

TAM    Tak the weans wi ye . . . but wis it no Andra's faut
       that ye landed in bother wi Dougall, an in
       Irvine tae. Dae ye think he'll staun by ye if ye
       land in mair bother?

BESSIE Weel, he's ma man, an I'm his . . . Whit kin o
       bother? . . . shairly ye dinnae think . . . no efter
       the Bishop . . .

TAM    Whit if ye were arrested again an tried afore a coort
       o law?

BESSIE But I've done nae wrang.

TAM    They'll think o somethin.

BESSIE Ye're jist tryin tae frichten me intae runnin awa,
       but I've naethin tae fear, no efter the Bishop
       helpin me.

TAM       Mibbie ye're richt lass, an I hope ye are.

BESSIE    Ay, I dout ye're worryin owre muckle, for the folk
          hereaboots aw ken me, an ma friens are aw
          here. I'm jist a skeelywife, an they aw ken that. I
          could nae mair lea Dalry than flee wi the
          Queen o Elfhame.

TAM       Ay, Bessie, jist as ye say. Weel I'm getting weary lass,
          an I cannae see as clear as I used tae. Mibbie
          ye'll help me back doon the path.

BESSIE    Ay, Tam, an dinnae worry.

TAM       But, jist think on whit I've said, Bessie. Think on
          it.

*[Music fades out as they walk off,* TAM *leaning on* BESSIE'S
*arm.]*

# Scene Eleven

*[The auld howf, Dalry]*

NARRATOR 1    After events in Glasgow, Bessie might have
              expected to be left in peace.

NARRATOR 2    Thanks to the Bishop, no harm had come to
              her, in spite of being accused of sorcery.

NARRATOR 3    However, she had made powerful
              enemies and someone like Sheriff Officer
              Jamie Dougall was not likely to forgive
              her.

NARRATOR 4    Neither was another young man who had good reason to remember Bessie: the Laird of Baidland, Andrew Crawfurd.

*[In a dark corner of the howf,* ANDRA JACK *is throwing dice with* ELKIE *and* WULKIE.*]*

ELKIE    Ye're no sae free wi the siller as ye used tae be Andra.

ANDRA    I've had a lot o ill-luck, wi that wife o mine.

ELKIE    Efter us finnin oot aboot the Blaks an Dougall for ye.

WULKIE    It's a guid job we drank oor share o Jamieson an Baird's money when we got it.

ELKIE    *[examining dice]* An I see yer luck's no gettin ony better, Andra.

ANDRA    Ach there must be a curse on me! It's been the same since the day I got mairrit.

WULKIE    Whit did ye want tae get mairrit for?

ELKIE    Ay, ye're better no bydin wi weemin owre lang. Wulkie nearly had tae get mairrit yince, an leuk whit it's duin tae him.

ANDRA    I think she must hae pit a spell on me, or gied me ane o her potions.

WULKIE    It's ill luck tae talk aboot witches. *[starts twitching]*

93

ANDRA    Whit's wrang wi him?

ELKIE    He aye does that when he thinks there's trouble
         brewin.

ANDRA    Whit kin o trouble?

ELKIE    Naebody kens but him, though he widnae tell ye if
         ye asked him. He aye sterts fidgin an haudin his
         throat when he smells danger.

*[WULKIE is clutching his throat and shaking all over.]*

ANDRA    I dinnae like the soun o that. I hope it's got
         nothing tae dae wi me.

ELKIE    Ye jist never ken Andra, ye never ken.

*[WULKIE is now twitching quite violently.]*

ELKIE    Wulkie, whit is it? Calm yersel doon. Ye're amang
         . . . friens.

*[His words are interrupted by the entrance of JAMIE DOUGALL and
ANDREW CRAWFURD.]*

DOUGALL  It's yersel at last, Mister Jack.

ANDRA    Eh? Ay, it is that.

DOUGALL  We're richt pleased tae fin ye, for me an
         Crawfurd've been aw roun the pairish leukin
         for ye, so we huv.

CRAWFURD     *[looking at* ELKIE *and* WULKIE*]* Ye're keepin
             some bad company richt enough.

WULKIE       That's whit the wee Glesca hairy said tae the
             Archbishop.

ELKIE        Heh, heh, that's a guid ane Wulkie.

*[*CRAWFURD *grabs* WULKIE *by the throat.]*

DOUGALL      Listen ya wee midden basket ye, ony mair smert
             cracks lik that, an ma frien Crawfurd'll cut ye
             up intae wee bits an feed ye tae his pigs for he's
             got nae sense o humour at aw. Noo get oot o
             here while ye still can, for we hae some
             business wi, Mr. Andra Jack.

*[As soon as* CRAWFURD *puts him down,* WULKIE *and* ELKIE
*scramble about for their belongings and almost fight one another to
get out of the door first.]*

DOUGALL      Ye see, Crawfurd hasnae much tae laugh aboot
             these days, for his mairriage didnae quite turn
             oot the wey he expectit.

CRAWFURD     A bad mairriage in every wey.

DOUGALL      Ay, a mairriage that disnae bring a decent bit o
             gear or gruin is nae use tae ony man.

ANDRA        Noo, listen Crawfurd. I had naethin tae dae wi aw
             that. It wis the work o Bessie, an as ye ken, I've
             had a lot a bother wi her masel.

CRAWFURD     Oh, we're maist sorry tae hear that, are we no, Dougall?

DOUGALL     Oh ay, we are that, but that's nothin tae the kind o bother ye'll be haein, if some guid friens o mine dinnae get their hauns on the money that ye were peyed for spreadin lees aboot them. *[he makes threatening signs of throat cutting]* If ye folla ma meanin, Jack.

ANDRA     Eh, ay, oh ay. Tell the Blaks that I'll pay thaim whit's left o the money I got fae Jamieson. It wis Elkie an Wulkie ye see that heard Geordie Blak . . .

DOUGALL     Eh? Whit? The bletherin bampot!

CRAWFURD     There's nae need tae mention ony names, Mr. Jack, but we aye like tae mak oor intentions clear, dae we no Dougall?

DOUGALL     *[grabbing ANDRA by the throat]* We dae that.

ANDRA     Y..y..y..ye'll . . . g..g..get the . . . rest o the money *[DOUGALL slackens his grip]* as suin as I can gether it in. It's kin o . . . wrapped up, jist at the meenit.

DOUGALL     Noo, we widnae like tae see ye bein wrapped up yersel, Andra, for there's nae pooches in a shrood.

ANDRA     There's nae need for that kin o talk. I promise ye, I'll see tae it. Jist gie me time.

DOUGALL    That's whit we were hopin tae hear, Andra, an
           ye've been maist helpfu wi oor enquiries, eh
           Crawfurd?

CRAWFURD   *[holding* ANDRA *by the back of the neck, facing*
           DOUGALL*]* Indeed ay, but hae ye heard,
           Dougall, that Lord Boyd's no too pleased wi
           whit's been happenin aroun these pairts for
           some time, an he's no wantin tae hear ony mair
           stories aboot witchcraft in Dalry, for his
           Lordship's an awfu pious kin o man, wi his
           nephew a bishop, God bless him. *[pushes* ANDRA
           *towards* DOUGALL*]*

DOUGALL    Ay, bless the b..bishop aw richt, an we ken Lord
           Boyd wullnae pit up wi ony witchcraft in oor
           pairish. *[holding* ANDRA *by the back of the neck and
           then pushing him back towards* CRAWFURD*]*

CRAWFURD    Did ye ken that ma daft auld mither sent for
           the witchwife for ma sister, but the wean wis elf-
           grippit, an speirited awa tae Elfhame. That wis
           the work o the damned witch tae. *[holding*
           ANDRA *by the hair]*

DOUGALL    Ay, we'll need tae pit a stop tae her evil, yince
           an for aw, for the Minister wants it stamped oot
           afore it spreads ony further.

CRAWFURD   *[arm round* ANDRA'S *shoulder]* Noo listen Andra,
           since ye've been sort o mixed up in aw this
           yersel, tak some frienly advice fae me an
           Dougall here. Dae somethin aboot it, quick,
           afore ye land in ony mair bother yersel, an

keep weel oot the road if ye dinnae want yer backside burnt. *[pushes him back to* DOUGALL*]*

ANDRA    Ay, oh ay, I wull that.

DOUGALL    *[picking up a dice]* I see ye still like a gemme o chance, Andra. Weel ye cannae win them aw, but jist hae mind that this is nae gemme we're playin noo. Guid day tae ye. Come on Crawfurd. We've urgent maitters tae see the Kirk session aboot. *[exeunt]*

ANDRA    *[on his knees]* Damn ye Bessie! Ye've landed me richt in it noo.

# ACT THREE

## Scene One

*[The Kirk. Spotlight on* MINISTER, *with the rest of the stage in darkness.]*

MINISTER       An evil, lik the burnin sulphurous braith o Satan himsel, has spread the daurkest deeds o the Deil aw owre this pairish, an evil that has crept upon thee as the mirky mists o the River Gaurnock rise up fae the mosses on a Winter's nicht, an smoor the haill valley in blackness, an its foul stench has made the very air unfit tae breathe.

      An verily I say that it has come upon thee bi the black airts o ane that is in thy very midst. For it is written in the book o Deuteronomy, chapter eichteen, verses ten, elieven an twelve: 'There shall not be found among you any one that maketh his son or daughter to pass through the fire, or that useth divination . . . or an enchanter, or a witch . . . or a consulter with familiar spirits or a wizard, or a necromancer. For all that do these things are an abomination unto the Lord, and because of these abominations, the Lord thy God shall drive them from before thee.'

*[blackout]*

# Scene Two

*[The Monkcastle woods. 'Fine Flooers', as before]*

BESSIE     Whit'll become o me Tam? *[silence]* Tam? *[he appears]*

TAM     Ay, ye're beginnin tae see whit I wis tryin tae warn ye aboot? Why no tak ma advice noo, an get awa while ye can?

BESSIE     We've been owre aw that afore, Tam. I cannae lea hame.

TAM     Bessie, if ye'll no run awa, at least hide for a while, in these wuids, for . . .

BESSIE     But, why should I, for I've duin nae wrang? An onyway, ma weans couldnae hide here owre the winter, an I'll no lea them.

TAM     Then listen tae ma advice Bessie, for we huvnae muckle time. If they're gaun tae arrest ye again, seek an assize o yer neebours.

BESSIE     An assize o ma neebours? Whit does that mean?

TAM     Ask that yer case be tried bi local folk, men fae hereaboots, an ye'll mibbie be aw richt wi thaim, for they'll ken ye, as ye've helped a guid wheen o them. They'll shairly see ye come tae nae herm.

BESSIE      An assize o ma neebours. But whit should I
dae?

TAM      Furst, I want ye tae go an ask for help fae some o the
gentry folk that sent for ye, an some auld friens
o mine.

BESSIE      Wha?

TAM      Lady Blair, for a stert, an her Baron Officer.

BESSIE      Ye mean Tom Reid?

TAM      Ay, for ye've helped them baith. They'll ken ye're jist
a skeelywife, an a weel-meanin body that's aye
tried tae gie folk help.

BESSIE      I've aye got on weel wi them baith, but dae ye
think they wid help me noo?

TAM      Ay, shairly they widnae let ye doon. But, there's
somethin, Bessie, that I'd like ye tae dae for
me.

BESSIE      Whit's that?

TAM      I'd like ye tae tell them ... I'm sorry ... I neer went
back hame ... tae put richt ane or twa things
that are on ma conscience.

BESSIE      Whit dae ye mean, Tam? Could ye no come wi me?

TAM      I'm sorry lass, but I couldnae dae that. I've gaen ma
ain wey for nearly thirty year, an I cannae gae

back tae ma auld life noo, but mibbie . . . some
folk wid like tae ken I wis, sorry, . . . and ma son
wid mibbie . . .

BESSIE    Yer son?

TAM    Ay, young Tom Reid's ma son, though he wullnae
hae mind o me, for he wis only a wean when I
left. Wull ye dae this for me, Bessie, for I'm no
lang for this world?

BESSIE    I wull Tam.

TAM    It's no an easy thing tae ask o ye, sae thank ye for
helpin me.

BESSIE    But it's ye that's helped me.

TAM    Ay, but ye've helped me mair then ye ken, bi keepin
alive the auld skeely weys o healin.

BESSIE    Ay, an aw the things I learned fae you.

TAM    I didnae teach ye hou tae love an value life, Bessie.
Ye've learnt that fae yer ain skeelymither, an aw
the mithers afore her. I only showed ye how tae
pit yer ain healin gifts, an the treisures o
Nature, tae better use. It's whit ye were born wi,
an whit's aw roun aboot us, if we tak the time
tae open oor een tae the magic o the earth an
the needs o folk. But it seems that naebody has
ony time for siclike things nooadays. Greed has
taen owre fae need, an awbody seems feart fae
whit's no in their Holy books, an the word o

their God Almichty. They're feart fae the auld
weys an the auld faiths, as if they were the works
o Satan, for a snell nor wind is blawin through
the bare wuids o Scotland wi an icy braith.

BESSIE    Ay, an it's frichtsome how folk only seem tae care
aboot theirsels, for they seem feart fae ane
anither, an even feart fae theirsel, an that's
shairly no whit the guid Lord wantit.

TAM    Ay, the world's a chynged place aw thegither, Bessie.
But, listen we cannae staun here foraye. Ye'll
hae tae get owre tae the Blair as suin as ye
can.

BESSIE    Whit dae ye wan me tae say?

TAM    There's owre mony things on ma mind, an I'll go tae
the edge o the wuids wi ye, an tell ye whit tae
say, but mibbie ye could tell ma son I'll be
hereaboots for twa or three days mair, if he
wants tae see me. I'm shair they'll help us,
Bessie.

*[blackout]*

## Scene Three

*[The Blair Castle.* LADY BLAIR *is seated, with* TOM REID *behind her
and* BESSIE *standing in front of them.]*

REID    Stey whaur ye are! Ye're no gaun tae blacken ma
guid name. By God I'll see tae that! Whaur's
auld Wull? *[exits]*

103

LADY BLAIR      Noo, Bessie whit dae ye mean bi comin here an tryin tae frichten us aw?

BESSIE      Oh, ma Lady, I need yer help. They're sayin things aboot me, an they arenae true. I've jist aye tried tae help folk, jist lik I helped you ma Lady. An ye see, auld Tam helped me a lot, tae cure folk, an . . .

LADY BLAIR      Whit are ye talkin aboot?

BESSIE      An he wants his son tae ken he's sorry for whit he's duin. I've tried tae tell Reid, but he's picked me up aw wrang.

LADY BLAIR      These are gey weirdlike things ye're sayin Bessie.

REID      *[returning with auld* WULL, *a servant]* If ye mean ma faither, Tam Reid, he wis killt at the Battle o Pinkie, nearly thirty year ago.

BESSIE      Now he couldnae . . . it was auld Tam that helped me, an he's an auld grey man but he's no deid . . . an he's still doon in the Monkcastle wuids. If ye'll jist listen tae me, I can . . .

REID      Naw you listen tae me, wumman. Ye see auld Wull there? He wis at the battle wi ma faither, an though he gets a bit wannert, he's still got a guid memory.

WULL      Oh, ay sir, I wis that, ay. I've mind o it aw richt, oh
ay. Black Setturday it wis, an I'll hae mind o
that till I draw ma last breath.

REID      Weel, get on wi it then!

WULL      Ay, I'm daein that. Black Setturday, when the gruin
wis covert for miles aroun wi the deid an the
deein, an thoosans taen prisoner tae, but I wis
lucky, for . . .

REID      Tell her aboot ma faither, ye doitit auld . . .

WULL      Ay, yer faither. He wis woundit, near the
stert o the fechtin, an he wis swept awa
when we tried tae cross the Esk, an the
river wis rinnin rid wi bluid, aw the wey tae the
sea.

REID      Richt! Whit've ye tae say tae that?

BESSIE      Oh, sir, I cannae say, an I dinnae mean ony herm.
I jist ken that auld Tam has helped me, an ye're
no tae think ony evil o him, but it was him that
asked me tae go an see ye . . . an tae ask for an
assize o ma neebours . . . for I need yer help.

REID      Oor help . . . an assize o yer neighbours?

LADY BLAIR      It's maist likely some auld hermit or
gangrel buddy that's tried tae mak use o ye,
Bessie.

BESSIE    I only ken it was auld Tam, but ma Lady, will
          ye help me, please, for ma weans . . . an
          assize . . .

LADY BLAIR    Eh, oh ay, richt Bessie . . . I'll . . . see. We'll
              attend tae . . . everythin for ye.

BESSIE    Oh, thank ye, ma Lady. I kent ye widnae let me
          doon.

LADY BLAIR    Ay, weel, noo I think ye'd better get aff hame,
              afore ye cause ony mair . . . for if the Laird . . .
              ye ken whit I mean.

BESSIE    *[as she leaves]* But ma lady it isnae true whit folk
          are sayin aboot me.

LADY BLAIR    Of course, Bessie, an there's nae need tae
              worry, for it'll aw sort itsel oot in guid time. Ye
              can depend on that. *[exeunt]*

REID    *[as WULL is about to leave]* Wull, jist a meenit. Listen,
        ye really did see ma faither killt at Pinkie?

WULL    Weel, he wis wounded gey sair, an I could dae
        naethin for him, for it wis everyane for
        himsel.

REID    An naebody saw him again?

WULL    Naw, he neer cam hame, like thousans o ither braw
        lads that day. Ay, Black Setturdey it wis, though
        mibbie he didnae really want tae come hame
        again, but a fine man wis yer faither, auld Tam,
        ay.

REID       Ye're bletherin again, Wull. Noo, listen, no a word
tae onybody aboot whit she said, an jist wait
ootside the noo.

*[WULL exits, as LADY BLAIR returns.]*

LADY BLAIR     Tom, whit dae ye make o aw this?

REID       How wid she ken aboot . . . ma faither?

LADY BLAIR     I ken auld Tam wis frienly wi the monks aw
they years ago, but . . . she said some gey
uncanny things.

REID       Ay, lik gaun doun tae Monkcastle tae leuk for the
ghaist o a man that was killt thirty year ago . . .
ma faither!

LADY BLAIR     Her auld mither must've kent Tam Reid, but
it's no canny at aw.

REID       Ay, an some o the things she said he wis sorry aboot,
lik stolen gear an gruin, are doonricht
slanderous tae some guid friens . . . lik
Dougall . . . an she wants me tae dae somethin
aboot it!

LADY BLAIR     I widnae be surprised if some o it wis true, for
I've heard it said that auld Tam spent owre
muckle time doun at Monkcastle or at
Kilwinnin Abbey an he didnae aye ken whit wis
gaun on aroun here.

REID      Ma Lady, wis it no aboot some thievin that she gied ye advice on a while back?

LADY BLAIR      Oh, I think I did ask her yince aboot some domestic bother, but it wis naethin important. Why, has it onythin tae dae wi whit she wis talkin aboot?

REID      Naw, I wis jist wonnerin . . .

LADY BLAIR      Weel, dinnae! An I'd be obleeged if ye didnae speak aboot again, especially tae the Laird.

REID      Jist as ye wish, ma Lady, but somethin'll hae tae be duin, for we cannae hae her gaun aboot sayin things lik that. It's time the Kirk wis daein somethin, for she's become a danger tae us aw, an tae the haill community.

LADY BLAIR      Oh, it gars me grue tae think aboot it! I should neer hae sent for her yon time. If the Laird ever fins oot . . .

REID      They say a witchwife aye returns tae haunt ye, yince ye've trafficked wi them.

LADY BLAIR      Trafficked wi them! Reid, whit are ye sayin?

REID      Dae ye ken whit this means, ma Lady? Sorcery!

LADY BLAIR      Holy Saint Margaret . . . Reid, I ken it's yer duty tae report this, but make sure ye go aboot it the richt wey. *[exits]*

REID    *[crosses to door]* Wull! Wull, come back in here a
        meenit. Ye'll mibbie be wantit later on tae
        verify ane or twa things. Noo, I'll hae tae go an
        see the Kirk elders aboot this damned meddlin
        witchwife.

WULL    Bessie Dunlop? A witchwi..?

REID    Ay, Bessie Dunlop. *[as he leaves]* She's a witch aw richt!

WULL    *[crossing himself]* Holy Ma ... God bliss us, an keep
        us fae the pooers o evil! This widnae hae
        happened in days lang syne. *[exits]*

# Scene Four

*[Bessie's house. ANDRA is sleeping, sprawled across the floor. The
children, AILIE and JEANIE, are playing at the door, singing as they
do so.]*

### THE FAIR LADY

*As I went by the luckenbooths
I saw a lady fair.
She had lang pendles in her ears,
An jewels in her hair.
An when she cam tae oor door
She speired at wha wis ben,
'Oh hae ye seen ma lost love,
Wi his braw Hielan men?'*

ANDRA   Haud yer wheesht, the pair o ye.

*[The CHILDREN stop their game, but they continue their song, though
a little quieter.]*

> *The smile aboot her bonnie cheek*
> *Was sweeter than the bee,*
> *Her voice wis like the birdie's sang*
> *Upon the birken tree.*
> *But when the meenister cam oot*
> *Her mare began tae prance,*
> *Then fled intae the sunset*
> *Ayont the coast o France.*

ANDRA    *[throws a jug at them, just as* MAGGIE *enters, looking very anxious]* I tellt ye tae haud yer wheesht ... Oh, Maggie ... I didnae hear ye.

MAGGIE    Andra, is Bessie aboot?

ANDRA    Naw, an I've nae idea whaur she is. Dae ye ken whaur yer mither is?

JEANIE    I think she wis gaun up tae the Blair.

AILIE    Mibbie tae the Dusk burn, tae gether herbs at the Elfhame caves?

MAGGIE    Ay, maist likely hen. *[whispers to* ANDRA*]* Andra, it's aboot Bessie. I came tae tell ye she's in awfu trouble.

ANDRA    An she's no the only yin.

MAGGIE    But Dougall an Crawfurd've been tae the kirk session aboot her an they're sayin she's a witch, an they want her pit on trial.

ANDRA    Ay, bi God it's true, an whit they're sayin's true!

*[BESSIE enters]*

BESSIE     Ye're haiverin again Andra, jist lik when ye had
           the land-ill.

ANDRA      They're sayin she's a witch.

BESSIE     Ay, they'll be sayin aw the healin an helpin folk wis
           the work o the Deil, an I'm in league wi him.
           God, whit's happened tae ye Andra? Whit'll
           become o us?

ANDRA      A witch, ay, Andra Jack mairrit tae a witch! An
           they'll no be lang in sayin I'm in league wi the
           Deil tae. They'll be cryin warlock afore the day's
           oot!

BESSIE     It's me they want. They'll no be leukin for you
           Andra.

ANDRA      Ay, they wull, but I'm damned if I'll be here when
           they dae!

MAGGIE     Whit dae ye mean Andra?

ANDRA      I'm gettin oot o here! *[starts gathering clothes,
           etc.]*

*[BESSIE is holding the CHILDREN, sobbing]*

MAGGIE     Andra, whit aboot Bessie?

ANDRA      Mairrit tae a witch! My God, she's drugged me wi
           her ... evil potions. She must hae, or I wid hae

seen the danger I wis in afore noo.

BESSIE     Andra, it's me, Bessie, yer wife, an weans ye're
            talkin aboot.

MAGGIE    Whit aboot the weans, Andra?

ANDRA     *[drawing back]* Maggie, I'll hae tae hide, an I
            cannae tak ony weans wi me. They're her
            weans.

BESSIE     Andra!

ANDRA     If they're her weans, they'll be hauf witch, mibbie
            aw witch.

BESSIE     They're oor weans!

MAGGIE    Andra, ye cannae jist lea lik this.

ANDRA     I huv tae, Maggie. I cannae stey. I'm feart
            I'll . . .

AILIE      Faither, whaur are ye gaun? Can we no come?

JEANIE     Faither, can we no aw rin an hide somewhaur?

ANDRA     Naw, stey there! Dinnae come near me!
            Maggie, tell ma brither, John, I'll hide up in
            the Lynn Glen. I'll mibbie see ye when this aw
            blaws by.

*[exits, carrying bundle, slamming door shut]*

BESSIE      Andra! Oh dear God, whit'll happen tae
                us aw?

*[*BESSIE *drops onto her knees at the door, sobbing.* MAGGIE *tries to comfort the* CHILDREN. *The silence is broken only by weeping.]*

AILIE        Auntie Maggie, whit's wrang wi ma Daddie?

MAGGIE     I wish I kent, hen!

JEANIE     Why did he say aw they bad things aboot us? Is he
                drunk again?

AILIE        Is ma faither no comin back?

*[*JEANIE *begins to sing 'The Fair Lady' again and* BESSIE *rises to put her arms around her weans. Half way through the song there is a loud thump on the door.* MAGGIE *pushes* BESSIE *and* CHILDREN *into an inner room, behind a curtain. She tries to open the door slowly, but it is pushed open by* DOUGALL *and* CRAWFURD. TOM REID, *the* MINISTER, *Mr. Crawfurd, and several* ELDERS *wait outside.]*

DOUGALL    Richt, Maggie Jack, whaur is she?

MAGGIE     Wha?

DOUGALL    Bessie Dunlop!

CRAWFURD   The witch!

MINISTER    It'll dae nae guid tae lee tae us, wumman.

MAGGIE     I'm no leein, Maister Crawfurd. I dinnae ken
                whaur the witch is!

DOUGALL      Lea her tae us Meenister, an we'll suin get the truth oot o her.

MINISTER      There's nae need for that, yet. Maggie, if ye ken whaur she is ye'd better tell us, for yer ain sake.

CRAWFURD      An ye better tell us quick.

MAGGIE      I dinnae ken. I've tellt ye.

MINISTER      Richt, Dougall, search the hoose.

*[MAGGIE attempts to stop him, but she is pushed aside as the others enter.]*

DOUGALL      *[as he pulls BESSIE from her hiding place]* We've cornered ye at last, sister o Satan.

*[The CHILDREN run from their hiding place and try to defend their mother, but are flung violently onto the floor.]*

CRAWFURD      Bluidy witchweans!

REID      Witch's wullcats!

*[They are held by the ELDERS, while REID restrains MAGGIE and CRAWFURD holds BESSIE by the hair.]*

MINISTER      That'll dae. Noo, for the sake o yer immortal souls, tell us aw ye ken aboot this witchwork.

JEANIE      Ma Mammie's no a witch.

DOUGALL      Shut that witchwean up, Elder.

MAGGIE      Everybody kens she's jist a skeelywife.

MINISTER      If ye're no carefu, ye'll mibbie aw be tried alang wi her.

BESSIE      Lea them alane. They've duin naethin.

MINISTER      We need tae get at the truth, tae save yer souls fae certain damnation.

DOUGALL      *[grabbing* MAGGIE *by the hair]* Dae ye ken she's a witch? *[shouting]* Dae ye?

MAGGIE      N-n-naw, n-never! *[Her arm is painfully twisted by* REID, *as* DOUGALL *grabs her by the throat.]* N-a-a-e-ee-ae!

MINISTER      What did she say?

REID      She said ay!

MINISTER      Guid, an noo I maun hear it fae her ain lips.

DOUGALL      Tell him! *[striking* BESSIE *several times]* Tell him! Confess ye damned witch ye!

BESSIE      *[*CRAWFURD *pulls her to the floor by the hair]* A-a-a-naw!

CRAWFURD      Mibbie her Deil's brood'll tell us whit we need tae hear?

*[*ELDERS *bring* CHILDREN *forward and* DOUGALL *grabs them both.]*

DOUGALL     Dae ye ken yer mither is a witch?

MINISTER    If ye dinnae want tae see these weans hurt,
            wumman, ye'd better confess tae us, afore
            we . . .

BESSIE      *[screaming]* Lea them! . . . I'll tell ye . . . aw I
            ken, an . . . I'll go wi ye an staun trial if need
            be . . . but lea ma weans alane. Tak peety on
            them.

MINISTER    Blessed be the name o the Lord, for he has pit
            wisdom intae yer herts this day. Ye've duin weel
            Maggie in testifyin tae witchcraft, an as for you
            Bessie Dunlop, I will tell the assize that ye are
            willin tae confess tae . . .

BESSIE      An assize o ma neebours, Reid an Lady Blair
            promised . . .

MINISTER    Hae faith, Bessie. Yer confession will save ye fae
            the clutches o Satan.

DOUGALL     We'll pit her in irons noo, Meenister. *[pulls*
            BESSIE *outside]*

*[*BESSIE *weeping, tries to turn round, but she is dragged off by*
DOUGALL, *while the* ELDERS *restrain the* CHILDREN *and try to
muffle their screams.]*

REID        Richt Crawfurd, we'd better go an see aw they folk
            on yer list aboot the assize.

*[they exit and leave* MAGGIE *to hold the* CHILDREN*]*

116

MINISTER  *[as he leaves]* I trust that these weans hae been baptised in the name o the Lord. God bless them. *[exits]*

MAGGIE  *[kneeling beside the CHILDREN]* Oh God, whit've I duin?

JEANIE  *[after a short pause]* I ken ma Mammie's no a witch, sae why are they tellin lees aboot her?

AILIE  Auntie Maggie, whit'll happen tae her?

*[lights go down and we hear the last four lines of 'The Fair Lady']*

*But when the Meenister cam oot*
*Her Mare began tae prance,*
*An fled intae the sunset*
*Ayont the coast o France.*

# Scene Five

*[The crossroads. Enter MARGARET SYMPLE, ISA and JENNIE.]*

MARGARET  I'm tellin ye, it wis a curse pit on him bi Bessie Dunlop.

JENNIE  Weel, I dinnae ken whit tae believe. I've heard that mony stories.

ISA  Hae ye heard aboot Andra?

JENNIE  Ay, the pair sowl! Nae wonner he took tae the drink.

MARGARET  Imagine leevin in the same hoose as a witch.

ISA       They sat she gave him potions tae mak him drunk aw
      the time.

JENNIE       Whit for?

ISA       So that he widnae ken whit he wis daein, an so that
      she could get on wi her . . . witchwork.

JENNIE       An naebody ever suspected onythin, or kent whit
      he wis gaun through.

ISA       Ay, nae wonner he ran awa eh?

MARGARET       Ay, tae get awa fae the witch.

JENNIE       It's the weans I feel sorry for.

ISA       Ay, but Maggie Jack's leukin efter them noo.

MARGARET       She'd better watch oot tae.

*[*MARTHA *and* LIZZIE *enter]*

LIZZIE       Hae ye heard aboot Bessie?

JENNIE       Ay, ye're owre late wi yer news, Lizzie.

LIZZIE       Ye'll no want tae hear aboot the Bishop then?

MARGARET       Whit aboot him?

LIZZIE       Weel, if ye really want tae ken . . .

OTHERS     Ay, ay, oh ay.

LIZZIE     They're sayin the Bishop o Glesca's gonnae dae
           somethin tae get Bessie aff.

ISA     Is that a fact?

MARTHA     He thinks she's innocent ye see.

MARGARET     Ay, weel mibbie the Bishop's no sae innocent
             then.

ISA     But the Kirk'll no staun for that noo. The Elders say
        she'll pey for whit she's duin this time.

LIZZIE     Ay, an they're richt, for we dinnae want witches in
           oor toon.

JENNIE     Naw, neither we dae.

MARTHA     Aw the same, the Bishop . . .

JENNIE     Ay, he let her aff afore, did he no?

MARTHA     But they say the Kirk disnae care whit bishops
           say noo.

MARGARET     Tak ma word for it, she'll no get awa wi it this
             time.

MARTHA     The Meenister wants her banished fae the
           toun.

MARGARET     So that we can aw sleep safe in oor beds.

ISA    We're no safe wi a witch in the toun.

MARGARET    An ye could aw still end up in bother.

ISA    Oh, God save us!

MARGARET    Ye aw got 'help' fae her ye see.

ISA    An it wis help fae a witch.

MARGARET    Witches are servants o the serpent.

LIZZIE    They hae rhymes tae curse God-fearin folk.

ISA    An they pit spells on us, tae mak us seik.

LIZZIE    Wi their lotions an potions.

MARGARET    They're slimy an sleekit.

JENNIE    An oor beasts arenae safe, an they turn the milk sour.

MARTHA    An oor weans arenae safe, when they can be elf-grippit.

ISA    They meet wi the Deil.

LIZZIE    They mate wi the Deil.

JENNIE    We dinnae want witches here.

LIZZIE    Naw, we dinnae want witches.

MARTHA      We should banish witches.

MARGARET      We should burn witches!

ISA     Ay, burn them.

LIZZIE     Burn them!

MARGARET      Burn them aw!

OTHERS     Ay, burn them aw! Burn them! Burn! Burn! Burn!

# Scene Six

*[The Archbishop's palace, Glasgow. BISHOP and CLERK enter, studying papers.]*

CLERK     What's to be done about this Dalry case, my Lord?

BISHOP     The Kirk has stepped in and charged her with witchcraft. Local feeling is running rather high and things seem to have got a little out of hand. My uncle is far from happy about the way things are going.

CLERK     Will you be dealing with the matter this time my Lord?

BISHOP     I think not, Clerk. Between ourselves, it's too risky a situation for my liking. I think it would be unwise to become involved again in anything so controversial.

CLERK     A very wise decision, my Lord, very wise indeed, if I may say so.

BISHOP     Let the Court of Justiciary deal with it. It's really their problem anyway and it gets it off my hands. I'm sure my uncle will approve.

CLERK     I'm sure he will, my Lord.

BISHOP     They'll probably give her a rough time, for the Kirk seems to be much preoccupied with witchcraft these days.

CLERK     Indeed they are your Lordship. They are certainly taking a much firmer line.

BISHOP     Yes, and I very much fear things could go rather badly for her at the hands of her interrogators but, after that, it's more than likely she'll only be banished from the area, for she seems to be more a sort of spaewife than a witch.

        But I find this all very disagreeable. I think we'll move on to my letter to Lord Boyd.

CLERK     Yes, it's almost ready, but perhaps some lunch first, your Lordship?

BISHOP     Excellent advice, Clerk. Pass me the washing bowl. You know it's nearly ruining my appetite, all this witch nonsense. *[He starts to wash his hands.]*

*[blackout]*

# Scene Seven

*[Dalkeith]*

NARRATOR 1    Dalkeith, September the twentieth, 1576, and the case of Bessie Dunlop came under the scrutiny of the Laird of Whittinghame and George Auchenleck of Balmanno.

*[WHITTINGHAME and BALMANNO pace up and down, discussing the case]*

WHITTINGHAME    But why did they pass it on tae us, insteid o jist leein it tae the local court?

BALMANNO    The Kirk's makin such a steer, they think it's faur too important tae be left at that level.

WHITTINGHAME    I dinnae like the soun o it at aw, Auchenleck. It's gey extraordinar, aw thegither.

BALMANNO    Ay, it's a maist peculiar case, Whittinghame.

WHITTINGHAME    I've neer come across its like, an it fair puzzles me. Ye'll agree that the question o her relationship wi this auld man, Tam Reid, requires some clarification.

BALMANNO    Ye're richt, Whittinghame, the hert o the maitter.

WHITTINGHAME    She has confessed tae havin met wi him on diverse occasions, owre the past fower or five year.

BALMANNO        But we're nae further furrit than when we
                stertit. Maist unsatisfactory, Whittinghame.

WHITTINGHAME        Indeed ye're richt, Balmanno. We'll hae
                tae recommend that she be interrogatit under
                mair stringent supervision, for she seems tae be
                a gey thrawn wumman.

BALMANNO        She's certainly no made things easy for us.

WHITTINGHAME        But she's no makin things easy for hersel
                either.

BALMANNO        Ay, she's her ain worst enemy. But, whit
                troubles me aboot it is this. If she is a witch,
                whit evils has she actually duin?

WHITTINGHAME        I'm a bit uneasy aboot that masel.

BALMANNO        The haill business is maist disturbin, if ye ask
                me.

WHITTINGHAME        Ay, but we maun proceed as instructit,
                Balmanno.

BALMANNO        We can only dae oor duty, Whittinghame,
                that's whit we're peyed for.

*[exeunt]*

# Scene Eight

*[Prison cell, Edinburgh]*

NARRATOR 1    'One of the most powerful incentives to confession was systematically to deprive the suspected witch of the refreshment of her natural rest and sleep . . .

NARRATOR 2    Even the indulgence of lying in a reclining position on their handful of straw was frequently denied them . . .

NARRATOR 3    This engine of human oppression was perhaps more effectual in extorting confessions, than the actual application of torture itself' writes Robert Pitcairn in his account of the Criminal Trials of Scotland.

*[*BESSIE *stands with bowed head, surrounded by a group of* INTERROGATORS *and* SCREIVER *(note-takers). Spotlight on* BESSIE, *the rest of the stage is in darkness.]*

INTERROGATOR 1    Noo, tae get back tae yer power o finnin things that were stolen.

BESSIE    I've tellt ye, sir, aw aboot it.

INTERROGATOR 2    Ay, but we need tae ken we've got things jist richt.

INTERROGATOR 3    It wis auld Tam that tellt ye aw aboot they things?

BESSIE    Ay, sir.

INTERROGATOR 3      An naebody else?

BESSIE    Naw, sir.

INTERROGATOR 2      Ye're shair?

BESSIE    Ay, naebody else.

INTERROGATOR 1      Noo, aboot this maitter o plough irons, how did Tam ken whaur they were, atween ... whit wis it again?

INTERROGATOR 4      'Atween a muckle ark an a great kist.'

INTERROGATOR 1      Weel, how did he ken exactly whaur they were?

BESSIE    I dinnae ken, sir. He didnae tell me.

INTERROGATOR 3      He seems tae hae tellt ye everythin else, sae why did he no tell ye how he kent aboot they things?

BESSIE    I ... cannae tell ye, sir ... sir?

INTERROGATOR 1      Ay?

BESSIE    Can I sleep noo? Please sir?

INTERROGATOR 4      No yet Bessie. When we ken everythin. When ye've confessed everythin tae us, sae that we can save ye.

*[lights dim on* BESSIE*]*

NARRATOR 1     The most common instruments of torture were:

NARRATOR 2     The 'pilniewinks', or thumbscrews, used to crush the thumbs.

*[scream, from* BESSIE, *now in darkness]*

NARRATOR 3     The 'cashielaws', or iron case, fitted tightly round the leg, then heated.

*[*BESSIE *screams again]*

NARRATOR 4     The 'boot', an iron band, fitted round the ankle, and into which wedges were hammered, eventually crushing the ankle.

*[longer scream from* BESSIE *and blackout]*

*[spotlight on* BESSIE *again, who is now on her knees]*

INTERROGATOR 1     Noo, aboot Tam, Tam Reid, I believe it wis.

BESSIE     I've tellt ye, but . . . I dinnae ken if . . . Tam . . . Tam . . . Reid?

INTERROGATOR 2     He was the faither o Tom Reid, Baron Officer tae the Blairs. His son's evidence proves that.

BESSIE     His faither?

INTERROGATOR 2     Ay, Bessie, his faither, but his son didnae like some o the things ye said.

BESSIE        It wis . . . his faither . . . auld Tam?

INTERROGATOR 1        Ay, as I said, Tam Reid. Ye've tellt us
                aboot aw ye learnt fae him, but ye must ken
                mair than that.

BESSIE        I dinnae ken ony mair . . . tellt ye everythin . . . let
                me sleep.

INTERROGATOR 3        When ye first met him at . . . Monkcastle,
                is that richt?

BESSIE        Ay, sir.

INTERROGATOR 3        Ye've tellt us whit he leuked like, his
                auld fashioned claithes an that.

BESSIE        Ay, he wis . . . gey auld.

INTERROGATOR 3 .        Noo, tell us again whit he said.

BESSIE        I've tellt ye . . . aw I've mind o.

INTERROGATOR 3        Tell us again.

BESSIE        He jist said . . . Guid day, Bessie . . . an I said . . .
                God speed ye guidman.

INTERROGATOR 2        We're getting naewhaur!

[INTERROGATOR 4 *steps forward*]

INTERROGATOR 4        Bessie, are ye shair he didnae gie ye ony
                kin o auld farrant benediction?

BESSIE      Whit dae ye mean, sir?

INTERROGATOR 4      Ane o the blessins fae the auld days.

BESSIE      Whit like?

INTERROGATOR 4      Like 'Sancta Maria . . . Holy Mary . . . Holy Saint Margaret,' or the like.

BESSIE      Naw, I dinnae think . . .

INTERROGATOR 3      Are ye quite shair?

BESSIE      I think sae, sir.

INTERROGATOR 3      I think mibbie ye've forgotten.

INTERROGATOR 4      Staun up.

BESSIE      Sir, I'm sae tired . . .

INTERROGATOR 4      I said, staun up!

[INTERROGATORS 3 *and* 4 *lift her up*]

INTERROGATOR 4      Did he no say . . . Sancta Maria?

BESSIE      Naw, sir.

[*they let her fall*]

INTERROGATOR 4      Staun up. Stey on yer feet!

BESSIE      I cannae, sir.

*[They both lift her to her feet very roughly.]*

INTERROGATOR 4    Whit did he say? Sancta Maria?

*[he lifts her roughly by the hair]*

BESSIE    I hinnae mind o onythin ...

*[they let her drop again]*

INTERROGATOR 4    I said stey on yer feet! *[gets ready to lift her
            again]*

INTERROGATOR 3    He did say Sancta Maria, did he no?

BESSIE    Sancta ... let me ... sleep.

INTERROGATOR 3    Sancta Maria, Bessie.

BESSIE    Sancta ... Maria?

INTERROGATOR 3    Ay, Sancta Maria, Bessie. *[lifts her up
            gently]*

BESSIE    Sancta ... Maria ... sleep.

INTERROGATOR 4    Sancta Maria! *[lets her drop onto the floor,
            exhausted]* Guid, guid. Hae ye got that, screiver?
            He said 'Sancta Maria'. Clearly her help cam
            fae an enemy o the Reformed Kirk, a Papist, bi
            God! Noo we're gettin somewhaur!

*[blackout]*

# Scene Nine

*[Bessie's prison cell]*

NARRATOR 1    At intervals, fresh examinations took place, and these were repeated night and day, until 'her contumacy was subdued.'

NARRATOR 2    'If she possessed fortitude enough to persist in the denial of her guilt, it was not inferred that she was innocent, but that the devil was helping her' writes Pitcairn.

NARRATOR 3    To help break the hold of the devil over witches, it was necessary to find the devil's mark, by repeatedly piercing the accused with long needles, until they found a part which was insensitive to pain.

*[several long screams from* BESSIE, *and then silence]*

NARRATOR 4    This was where they believed the devil had sucked blood to initiate the witch, thereby leaving his mark, a sure proof of witchcraft.

*[*BESSIE *is lying in darkness, but is suddenly roused and pulled roughly onto her feet by her* INTERROGATORS. *Spotlight on her again. They have to shake her violently to waken her.]*

INTERROGATOR 1    Did he ever ask ye tae deny yer faith?

BESSIE    *[mumbling]* Tae pit ma trust . . . in him.

INTERROGATOR 1    In him? No in the Lord?

BESSIE        Couldnae . . .

INTERROGATOR 2        Dae ye pit yer faith in God, Bessie?

BESSIE        Cannae . . . deny . . . *[pierced with a needle]* God!

INTERROGATOR 2        But ye pit yer trust in Tam Reid, did ye
                no?

BESSIE        Tam . . . helped me.

INTERROGATOR 3        But whaur did his help come fae? That is
                whit we need tae ken?

BESSIE        Fae the green wuids, an the caller burn, an . . .

*[another scream, as she is pierced]*

INTERROGATOR 4        That help wis a temptation, Bessie, the
                temptation o Satan.

INTERROGATOR 3        Did he eer tempt ye in ony ither
                wey?

BESSIE        Eh?

INTERROGATOR 4        Did he ever touch ye?

BESSIE        He . . . lent on ma shouder.

INTERROGATOR 3        Why wis that?

BESSIE        Tae help him . . . doon the path.

INTERROGATOR 4    Onythin else? Did he touch ye onywhaur else?

BESSIE    Ma airm ... took haud o ma airm.

INTERROGATOR 3    Why?

BESSIE    ... I dinnae ...

INTERROGATOR 4    *[shakes her]* Why did he tak haud o yer airm?

BESSIE    Tae go ...

INTERROGATOR 2    Whaur? Tae go whaur?

BESSIE    Wanted me tae go ... awa.

INTERROGATOR 1    Awa whaur?

BESSIE    Ma ... sel fae hame.

INTERROGATOR 4    *[she falls to the floor]* Elfhame, did she say? *[shakes her]* Dae ye ken that's whaur the speirits o the deid can tak ye? Elfhame, dae ye ken whaur Elfhame is?

BESSIE    Mm ... ay.

INTERROGATOR 1    Elfhame, dae ye ken whit this means, Bessie?

INTERROGATOR 2    Did Tam Reid eer ask ye tae go there?

BESSIE     ... often.

INTERROGATOR 3     Ye went there often?

BESSIE     Ay.

INTERROGATOR 2     Why did ye go there?

BESSIE     We gethered herbs ... at Elfhame.

INTERROGATOR 3     Tae mak the potions an drugs o the Elf folk?

BESSIE     Tae ... cure folk.

INTERROGATOR 4     *[lifts her up again and shakes her]* If ye went often tae Elfhame wi Tam Reid, he wis yer fameiliar speirit then?

BESSIE     No a speirit ... an auld ... *[screams as she is pierced]*

INTERROGATOR 4     A speirit fae Elfhame, that's whit he wis.

INTERROGATOR 3     But, Tam wis deid, Bessie.

INTERROGATOR 4     If he wanted tae tak ye tae Elfhame, that means he wis deid.

BESSIE     Deid? ... no deid ...

INTERROGATOR 1     His son tellt ye he wis killt at the Battle o Pinkie.

BESSIE     Ay, but ...

INTERROGATOR 4      *[pierces her again, and she falls to the floor]*
An ye say he wisnae deid? He wis deid aw richt.
Tam Reid wis an evil temptin speirit.

INTERROGATOR 1      A speirit fae Elfhame.

INTERROGATOR 2      A speirit fae Satan.

INTERROGATOR 4      At last we hae fun the mark o the beast!

INTERROGATOR 3      Noo, we're sheddin licht on this evil business!

*[blackout]*

NARRATOR 1      One of the most fiendish instruments of torture, used to extract the 'truth', was the Branks, or witches' bridle.

NARRATOR 2      Constructed by means of a hoop which passed over the head, a piece of iron, having four prongs, was forcibly thrust into the mouth, two of these being directed to the tongue and palate, the others pointing outwards to each cheek.

NARRATOR 3      This was secured by a padlock and at the back of the collar, was fixed a ring, to chain the witch to the wall of her cell.

NARRATOR 4      Thus equipped, she was night and day waked and watched by some skilful person appointed by her inquisitors.

*[spotlight on* BESSIE *who is now secured to the wall, with bridle over her head, so that she can hardly speak]*

INTERROGATOR 1     An in the streets o Edinburgh, ye saw Tam Reid an he followed ye, an laughed at ye.

BESSIE     Ah . . . ah.

INTERROGATOR 2     An ye saw him in the kirkyaird o Dalry, but naebody else could see him?

INTERROGATOR 3     An he tellt ye wha he went tae the battle wi, an whit they said, an whit they ate on their wey there.

BESSIE     Mnn . . . ah . . . ah . . .

INTERROGATOR 2     An tae visit his auld friens tae tell them tae mak amends for whit they'd duin.

INTERROGATOR 1     Things naebody else kent aboot but thaim?

BESSIE     Ah . . . ah . . . ay . . .

INTERROGATOR 3     An the Lady Auchenskeith asked ye aboot her man wha deed nine year syne.

BESSIE     Mm.

INTERROGATOR 1     An ye asked Tam if he was wi the fairy folk? *[no reply]* I said, ye asked Tam Reid aboot the Laird o Auchenskeith an he tellt ye that he wis wi them?

BESSIE     Mn . . . ah . . .

INTERROGATOR 4   Ye saw Tam Reid wi the fairy folk, at the gable end o yer ain hoose, eicht wimmen an fower men, aw claithed in green, an the Queen o Elfhame spoke tae ye afore ye gied birth tae yer wean that deed . . .

BESSIE   Nn aa aw . . . wa, wai . . . nn.

INTERROGATOR 4   An Tam an the fairy folk tried tae tempt ye tae jyne them, an Tam promised ye gear an graith, an braw claithes if ye wid gang wi them an deny yer Christian faith.

BESSIE   Fai..th..th . . .

INTERROGATOR 3   An they were temptin ye awa fae yer ain guidman an yer bairns.

BESSIE   Wea..nn . . . weans . . . nn..naw!

INTERROGATOR 3   ' Ay, Bessie, an then the Elfin folk flew awa in an evil, ugsome sough o cauld wind.

INTERROGATOR 4   Jist as ye saw the Elfriders fae Middle Earth, plunge intae the daurk watters o Restalrig Loch, as if Heaven wis rummlin doon intae the pit o Hell.

INTERROGATOR 1   Whaur Tam Reid meant tae lead ye Bessie.

INTERROGATOR 4   But yer confession has saved ye fae the evil clutches o Satan.

*[blackout]*

# Scene Ten

*[The High Court of Justiciary, Edinburgh]*

NARRATOR 1    The trial of Bessie Dunlop took place on
              November the eighth, 1576, at the High Court
              of Justiciary in Edinburgh.

NARRATOR 2    No defence was permitted in witch trials at
              this time, for anyone attempting to do so could
              be accused of helping the witch and incur the
              penalties for such a crime.

*[BESSIE is brought forward and placed centre stage, with a spotlight
on her and court officials etc. on either side. MEMBERS OF THE
ASSIZE take their place on benches, upstage from BESSIE.]*

ADVOCATE 1    In the first, that forasmuch as the said
              Elizabeth Dunlop being demanded, by what art
              and knowledge she could tell diverse persons,
              of things they lost or were stolen away, or help
              sick persons,

CLERK    Answered and declared that she herself had no
         kind of art or science so to do, but diverse
         times, when any such person came to her,
         she would enquire at one Thomas Reid, who
         died at the Battle of Pinkie, as she himself
         affirmed, who would tell her, whenever she
         asked.

ADVOCATE 2    And being interrogated, where and in what
              form the aforesaid Thomas Reid did first
              appear to her, freely confessed that she first

met the aforementioned at Monkcastle. And being demanded what kind of man Reid was, declared as follows:

CLERK     'He was an honest, weel elderly man, grey beardit, and had a grey coat wi Lombard sleeves o the auld fashion, a pair o grey breeks and white shanks, gartered abuin the knee, a black bonnet on his heid, wi silken laces drawn through it and he was carryin a white wand,' and she 'thocht he gaed in at a narrow hole of the dyke that nae earthly man could have passed through' and so she was 'somewhit afeard'.

ADVOCATE 1     Being demanded if she could dae any guid, for women that were in travail in child bed-lare, answered that she could 'dae naethin' until she first spoke with Thomas, who gave her a green silk lace, 'oot of his ain haun,' and bade her 'tack it to their under claithes' and soon their bairn would be delivered.

ADVOCATE 2     And when she hirself was lying in child bed-lair, the Queen o Elfhame came to her and sat beside her, and Thomas told her she 'was his mistress wha had commanded him to wait upon her to dae her guid.'

ADVOCATE 1     And when Reid appeared with the Queen o Elfhame and her elfwichts they did desire her to go with them and Reid desired her to do likewise, offering her 'aw manner o things' and promising that

CLERK          'If ye gae wi us, I will mak ye faur better than eer
               ye hae been.'

ADVOCATE 2          Interrogated what she thought of the
               new religion of the Reformed Kirk of
               Scotland.

CLERK          Answered that 'she had spoken wi Reid aboot this
               maitter, but he answered that this new religion
               was nocht guid, and that the auld faith should
               come back again.'

JUSTICE DEPUTE          Irrefutable evidence of dark Satanic and
               Papish forces at work in our midst.

ADVOCATE 1          Interrogated if she never speired what
               trouble should come to her for his company
               and his help, he told her that she would 'be
               troubled therefore', but bade her 'seek an
               assize o her neebours and naethin should ail
               her.'

*[blackout and spotlight on* BESSIE*]*

BESSIE          An naethin should ail me.

*[Lights dim on* BESSIE*. Spotlight on* CRAWFURD*]*

*[*ANDREW CRAWFURD *takes the oath, by raising his right hand and
               placing the other on the bible.]*

CLERK          And immediately after the choosing and swearing
               of the said persons of assize *[*MEMBERS OF THE

ASSIZE *exeunt as narration continues and names are read out]* the same persons removed themsels furth of court and convened together, and reasoned on the points of the said dittay.

NARRATOR 1    An assize of fifteen local lairds did in fact form the jury at Bessie's trial,

NARRATOR 2    Many of whom must have known her and even have sought help from her.

NARRATOR 1    The fifteen good men and true, were as follows:
Hew Hommyll in Kelburne, Thomas Gowand there, Cuthbert Craufurd in Kilburnie, Hugh Dunlop of Crawfield, Henry Clerk in Cokeydaill, John Knok in Kilcuse, James Aitken in Balgrene, Johnne Orr in Barnauch, Thomas Caldwell in Bultries, James Harvey in Kilburnie, Robert Roger there, Johnne Boyde in Gowanlie, Johnne Cochrane in the Mains of Barr, Thomas Stewart of Flaswood, and finally the Convener of the Assize, Andrew Crawfurd of Baidland, or as his name was spellt in the court records, Crawfurd of 'Baithleme'.

*[Spotlight on* BESSIE*]*

BESSIE    Suffer . . . ma weans . . . unto me . . . suffer.

*[*BESSIE, *still in shadow, kneels centre stage, while someone sings the first verse of 'Fine Flooers in the Valley'.]*

> *She's risin up in the early morn,*
> *Fine flooers in the valley,*
> *Tae see their sweet babes safely born*
> *An the green leafs they growe rarely.*

*[*MEMBERS OF THE ASSIZE *start to return.]*

CLERK  And bein ripely advised therewith and resolved
therein, re-entered to the said Court of
Justiciarie, and there in the presence of the
said Justice-Depute, by the deliverance,
pronounced and declared by the mouth and
speaking of Andrew Crawfurd of Baithleme,
their verdict on the aforesaid Elizabeth Dunlop.

CRAWFURD  Havin considered the case of Elizabeth Dunlop,
charged wi usin witchcraft, sorcery, incantation,
and invocation of Spirits of the Devil, continuin
in familiarity with them at all times, as she
thocht expedient, an thereby dealin wi charms
an abusin of people, wi her devilish craft o
sorcery, we the members of the Assize, do find
the said Elizabeth Dunlop to be culpable, fylit
and convict of all the points above written.

*[Lights dim as all exit, except* BESSIE. *Verse two of 'Fine Flooers' is*
*sung.]*

> *Her help she gied tae great an sma,*
> *Fine flooers in the valley,*
> *Wi soothin herbs she healed them aw,*
> *An the green leafs they growe rarely.*

# Scene Eleven

*[Bessie's cell. BESSIE is still kneeling as at the end of the previous scene, with a spotlight on her and the rest of the stage in darkness.]*

BESSIE    I thocht I wis helpin folk bein their skeelywife, but mibbie ye cannae expect tae jist be yersel an leeve yer ain life, no when folk are leukin for ye tae be somethin else. When they need ye, they come seekin yer help, an speirin for things, an ye help them, an they gae awa an tell ither folk, an they come seekin mair . . . an mair. An suiner or later, folk stert talkin an tellin lees, when somethin goes wrang, an then they caw ye . . . besom . . bitch, an then somebody says . . . witch! A naebody comes back, an naebody asks 'whit, shairly no? No Bessie Dunlop? Bessie's jist a skeelywife.'

Naw, naw, we cannae be oorsels . . . no when folk are feart tae help ane anither an cannae trust ane anither, an when we cannae dae that, we are . . . nae langer oorsels . . . jist withered berries . . . black leafs . . . hingin on a bare tree.

*[As 'Fine Flooers' begins BESSIE is again left in shadow or silhouetted. When the singer reaches the second last verse, BESSIE turns and walks very slowly into the darkness.]*

> *But neebour dear, whit dae I find?*
> *Fine flooers in the valley,*
> *Ye huvnae proved tae me sae kind*
> *An the green leafs faw sae early.*

MINISTER    'A man or woman that hath a familiar spirit, or that is a wizard, shall surely be put to death. Thou shalt not suffer a witch to live.'

NARRATOR 1    Unfortunately the details of Bessie's fate have not been recorded. There is merely the usual short note on the margin of the records.

NARRATOR 2    'Convict and Burnt.'

> *They caw her witch, an bind her fast,*
> *Flooers fade in the valley,*
> *An in the fire her body cast*
> *An the red flames rise sae rarely.*
>
> *November winds begin tae blaw,*
> *Withered flooers in the valley,*
> *Summer leafs curl up an faw*
> *An the black trees hang sae barely*

*[Stage should be half-lit to create the effect of figures appearing from the shadows, and/or back lighting used to create silhouettes.]*

MINISTER    'Through the wrath of the Lord of hosts is the land darkened and the people shall be as the fuel of the fire: no man shall spare his brother,' or his sister.

NARRATOR 4    In a time of turmoil and change,

NARRATOR 5    A time of chaos,

NARRATOR 6    A time of fear,

NARRATOR 1    We look for convenient scapegoats;

NARRATOR 2    People who are different,

NARRATOR 3    People who are a threat,

NARRATOR 4    Enemies in our midst,

NARRATOR 5    Someone to blame,

NARRATOR 6    To vent our anguish on,

NARRATOR 1    Someone to persecute,

NARRATOR 2    To exterminate.

NARRATOR 3    The list of victims is endless,

NARRATOR 4    Their ashes scattered in the wind.

MINISTER    'Behold, they shall be as stubble; the fire shall
            burn them; they shall not deliver themselves
            from the power of the flames.'

*[Red lighting fills the stage, with swirling black shadows and crackling bonfire sounds.]*

NARRATOR 5    *[starts reading the list of names beginning with
            'A]* Abel, Andra
            Abernethy, Margaret
            Adair, Eupham
            Adam, Agnes . . . *[continues quietly as the
            MINISTER speaks]*

MINISTER    'Therefore shall evil come upon thee; thou
            shalt not know from whence it riseth: and

mischief shall fall upon thee; thou shalt not be
able to put it off: and desolation shall come
upon thee suddenly, which thou shalt not know
of.'

*[NARRATOR 5 continues reading and after the next few names,
NARRATOR 6 starts reading those beginning with B. Then other
NARRATORS join in with list C and D, growing louder until the
names almost become a cacophony. They continue reading as the
members of the cast slowly leave the stage and the NARRATORS go off,
one by one. As the voices fade, the last to be heard is the one reading
the D list. As this reader leaves the stage, and the lights fade, we
hear, as just another name on the list, 'Dunlop, Bessie'.]*

NARRATOR 1
Abel, Andrew
Abernethy, Margaret
Adair, Eupham
Adam, Agnes
Adam, Isobel
Adame, Agnes
Adamson, Margret
Adamsone, Isobel
Adamsone, Marjorie
Adie, Lillias
Affleck, Margaret
Aichesoun, Mergarett
Aichesoune, Masie
Aiken, Bessie
Aikenhead, Christian
Aird, Agnes
Airth, Jonet
Aitchison, Helen
Aitchison, Janet

Aitkine, Bessie
Aitkine, Marion
Aitkyne, Marjorie
Alexander, Elspet
Alexander, Isobell
Alexander, Jonet
Alexander, Katharene
Alexander, Margaret
Alexander, Susanna
Allan, Janet
Allane, Margaret
Allane, Robert
Alshenour, Katherine
Anand, Jonnet
Anderson, Cristian
Anderson, Elspeth
Anderson, Grissell
Anderson, Issobell
Anderson, Janet
Andersone, Bessie

Andersone, Marjorie
Andersoun, Margaret
Anderson, Marioun
Andersone, Jonet
Anderson, Margaret
Andra, Helen
Angus, Alesoun
Anstruther, Agnes
Argyill, Margaret
Aroane, Marion
Aslowane, Mawsie
Atkin, Margaret
Auchinlek, Violat
Aunchtie, Katharine

NARRATOR 2
Baillie, Elspeth
Baillie, Susanna
Bailzie, Marioun
Bain, Margaret
Bainzie, Robert
Baird, Elspeth
Baird, Walter
Bairdie, Isobel
Baleny, Margaret
Balfour, Alesoun
Balfour, Christiane
Balfour, Helen
Balfour, Margaret
Ballanmie, Margaret
Ballantyne, Cristine
Balliem, Margaret
Bankes, Marion
Bannatyne, Margaret

Bannatyne, Susanna
Baptie, Margaret
Barbour, Jean
Barclay, Janet
Barclay, Margaret
Barker, Janet
Barroun, Issobell
Barrowman, Margaret
Bartan, Margaret
Bartilman, Margaret
Bartleman, Euphame
Barton, William, and his wife
Bathcat, Begis
Bathcast, Marion
Bathgate, Elizabeth
Bathgate, Issobell
Baxter, Janet
Baxter, Margaret
Bayne, Isobel
Beatie, Helen
Bell, Alexander
Bell, Bessie
Bell, Christian
Bell, Elspeth
Bell, Janet,
Bell, Margaret
Bertram, Lillias
Bigham, Isobell
Bigland, Katherene
Bigland, Margaret
Bining, Jonet
Birne, Jonet
Bischope, Agnes
Bishop, Janet

Bissat, Helen
Black, Elizabeth
Black, Kathrin
Blackie, Elspet
Blaik, Helen
Blaikie, Christian
Blaikie, Meriory
Blair, Katherene
Blak, Cristine
Black, Elspit
Blak, Jonet
Blak, Kathren
Blak, Margaret

NARRATOR 3
Carle, Agnes
Cairnes, Alisone
Cairnes, Issobell
Callender, Margaret
Callon, Janet
Callum, Margaret
Campbell, Agnes
Campbell, Catherine
Campbell, Gilbert
Campbell, James
Campbell, Janet
Campbell, Jean
Cant, Margaret
Caray, Katherine
Carfra, Bessie
Carfra, John
Carfra, Thomas and brother
Carfrae, Jonet
Carlips, Thomas

Carrick, Alesoun
Carrilie, Bessie
Carse, John
Carvie, Margaret
Caskie, Mareon
Cass, Heleen
Castell, Janet
Cathie, Issobell
Cathie, Patrik
Cattenhead, Annabell
Chalmers, Agnes
Chalmers, Bessie
Chalmers, Elspeth
Chalmers, Giles
Chancelar, Susanna
Chapman, Alesoun
Chapman, Margaret
Charters, Agnes
Chatto, Margaret
Chirnesyde, Niniane
Chisolme, Mary
Chisolme, Elspet
Chrystie, Agnes
Christie, Katharine
Clark, Janet
Clarke, Jonett
Clarkson, Agnes
Cleghorne, Jonnet
Cleilland, Jean

NARRATOR 4
Dalgleish, Margaret
Dauidsone, Jonet
Davidson, Isabel

Dawsoun, Bessie
Deanes, Helen
Deanes, Jeane
Demstar, Agnes
Dempstar, Jonnet
Dick, Alison
Dick, Elizabeth
Dickson, Isobel
Dickson, Margaret
Dickson, Marion
Dicksoun, Margaret
Dobie, Margaret
Dollour, Mary
Donald, Agnes
Donald, Janet
Donald, Margaret
Donald Oig, Agnes
Donalson, Adam
Donaldson, Agnes
Donnald, Janet
Dougall, John
Dougall, Margaret

Douglas, Janet
Douglas, John
Douglas, Jonnet
Douglas, Margaret
Dovertie, Jonnet
Dow, Janet
Drever, Jonet
Drummond, Alexander
Drummond, Barbara
Dryburgh, Helene
Dryburgh, Isabel
Dryburgh, Margret
Drysdaill, Jonet
Dumbar, Jean
Dunbar, Elspet
Dunbar, Jonnet
Duncan, Elspet
Duncane, Andra
Duncane, Catherene
Dungalson, Agnes
Dunham, Margaret
Dunlop, Bessie

# SPRIG O' ROWAN

Original

For it's a skeery life, a wea-ry life, a sair life tae bear. We're

shoved a-boot fae morn tae nicht, Fae here tae there. And

if ye were tae ask us o Kirks an Queens an Kings, we'd

say we hae a wea - ry time wi sic like things, we'd

say we hae a wea - ry time wi sic like things.

# THE BALLAD OF BESSIE'S BREW

Original

If it's yer ills ye want tae cure, ye
need – nae sit an greet. Guid
Bes - sie Dun - lop's po - tions pure will
pit ye on yer feet. Oh,
if ye'll tak a wee wee drap o
Bes - sie's ma - gic li- quor, jist
hauf a cup' - ll pick ye up, an
mak ye bet - ter quick - er!

N.B. "I Had a Love" is sung to this tune, but in a slower, sadder way.

151

# ANITHER GLESS O' WHISKY

Tune Traditional

The__ no-ble in his ca-stle braw has ser-vants, flun-kies, gowd an aw, but ye can tak them aw a-wa For they're no as guid as whis-ky - o! For baur-ley bree ye'll hear the cry Fae Shet-land Isles tae the bor-ders ay In ilk-a-howf we like tae try "An-ith-er gless o whis-ky o!"

# THE GUID NEEBOURS

Tune Traditional

We are guid nee-bours tae ane an aw. We ne-ver
dae o - ny herm at aw. We like tae
clack a-boot aw that's new_____ An
din-nae think we've for-got-ten you_____ An
din-nae think we've for-got-ten you.

# THE FAIR LADY

Traditional Song

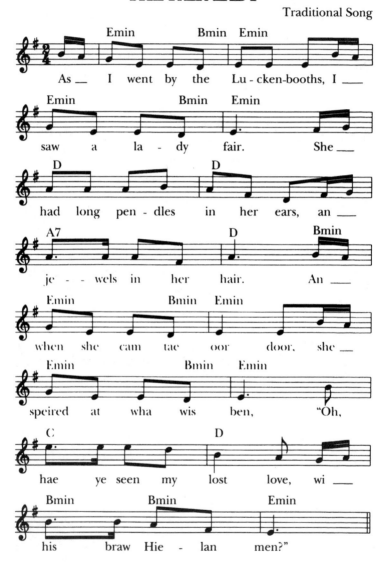

# FINE FLOOERS IN THE VALLEY

Adaptation of Traditional Song

She's ri - sin up in the ear - ly __ morn,

Fine flooers in the val - ley, Tae __

see their sweet ba - bes sa - fely born, An the

green leafs the - y gro - we rare - ly.

155

# GLOSSARY

## A

| | |
|---|---|
| ablow | below |
| abuin aw | above all |
| ae | one |
| aff | off |
| ahint | behind |
| airm | arm |
| alane | alone |
| ane an aw | one and all |
| auld | old |
| farrant | fashioned |
| awbody | everybody |
| awfu | very |
| awricht | alright |
| ayont | beyond |

## B

| | |
|---|---|
| bampot | idiot |
| baurley bree | whisky |
| Beltane | May Day |
| ben | inside |
| birken | birch |
| blaws | blows |
| blootered | blasted |
| bluid | blood |
| boggle | ghost |
| braith | breath |
| braw | beautiful |
| breeks | trousers |
| brocht | brought |
| buddies | bodies |

## C

| | |
|---|---|
| caller | fresh |
| carlin | witch |
| cauld | cold |
| chairm | charm |
| chiel | fellow |
| child bed-lair | giving birth |
| chookie | chicken |
| chynge | change |
| clack | chatter |
| claithes | clothes |
| clarty | dirty |
| corbies | crows |
| craiture | creature |
| creeshie | greasy |
| croun | crown |
| cuddy | horse |

## D

| | |
|---|---|
| daicent | decent |
| daiths | deaths |
| daur | dare |
| daurk | dark |
| deil | devil |
| dittay | charge |
| dizzen | dozen |
| dochter | daughter |
| doited | daft |
| dooie | dove |
| douce | respectable |
| dreich | dull/dreary |
| drouth | thirst |
| duin | done |

## E

| | |
|---|---|
| eejit | idiot |
| eicht | eight |
| elf-grippit | bewitched |

## F

| | |
|---|---|
| fae | from |
| fameiliar | familiar |
| fash | trouble |
| faur | far |
| faut | fault |
| faw | fall |
| feart | afraid |
| fechtin | fighting |
| fidgin | twitching |
| flunkies | servants |
| folla | follow |
| foraye | forever |
| fower | four |
| frichtsome | frightening |
| fu | drunk |
| fun | found |
| furrit | forward |
| furth | out |
| fylit | found guilty |

## G

| | |
|---|---|
| gaes | goes |
| gaird | guard |
| gaist | ghost |
| gang | go |
| gangrel buddy | beggar |
| gars me grue | makes me shiver |
| gaun | going |
| gemme | game |

## G

| | |
|---|---|
| glaikit | stupid |
| glaur | mud |
| gled | glad |
| gomerils | idiots |
| gowd | gold |
| gowk | fool |
| gowpin | throbbing |
| graith | equipment |
| gruin | ground |
| guid | good |
| guidman | husband |
| guid-sister | sister-in-law |

## H

| | |
|---|---|
| hae mind | remember |
| haill | whole |
| hairy | trollop |
| haiverin | talking nonsense |
| hakkit | ugly |
| haud yer wheesht | be quiet |
| hauf | half |
| hauns | hands |
| heid | head |
| hinnae | have not |
| hou | how |
| houghmagandie | fornication |
| howdiewife | midwife |
| howf | public house |

## I

| | |
|---|---|
| ilka | every |
| interlowpers | outsiders |

## J

| | |
|---|---|
| jaur | jar |
| jyle | jail |
| jyne | join |

## K

| | |
|---|---|
| kirk session | court |
| kirkyaird | churchyard |
| kist | chest |
| knowe | hillock |

## L

| | |
|---|---|
| lea | leave |
| lees | lies |
| leevin | living |
| leuk | look |
| lowpin | leaping |
| luckenbooths | stalls |
| luck fare | good luck |

## M

| | |
|---|---|
| mairchin | marching |
| maun | must |
| miscawin | miscalling |
| muckle | much |
| mull | mill |

## N

| | |
|---|---|
| naer-dae-weel | rascal |
| neb | nose |
| nebby | snooty |
| nicht | night |
| nocht | nothing |
| noo | now |
| nor | north |
| numptie | idiot |

## O

| | |
|---|---|
| obleeged | obliged |
| onywhaur | anywhere |
| owre | over |

## P

| | |
|---|---|
| pairish | parish |
| pauchle | swindle |
| peck | measure |
| peety | pity |
| pendles | earrings |
| peyed | payed |
| pickle | small amount |
| pooches | pockets |
| pooer | power |
| preuch | theft |
| puddock | frog |
| puggie | very drunk |
| puir | poor |

## Q

| | |
|---|---|
| quate | quiet |

## R

| | |
|---|---|
| rid | red |
| rin | run |
| rummlin | rumbling |

## S

| | |
|---|---|
| sair | sorely |
| sarks | shirts |
| scunnert | sickened |
| seik | sick |
| seiven | seven |
| shair | sure |

| | |
|---|---|
| shanks | leg or stockings |
| shootin the craw | goin away |
| shrood | shroud |
| sic | such |
| sicht | sight |
| siller | silver |
| skeery | fearful |
| skyte | crazy |
| skytit | strike |
| sleekit | sly |
| smoor | smother |
| snowkin | sniffing |
| sorra | sorrow |
| sough | roaring |
| speired | enquired |
| speirited | spirited |
| spout | waterfall |
| staun | stand |
| steer | stir |
| stracht | straight |
| suin | soon |
| swat | sweat |
| syne | ago/since |

## T

| | |
|---|---|
| talk wi bools in yer mooth | talk posh |
| thole | endure |
| thrawn | stubborn |
| threid | thread |
| tocher | dowry |
| twa | two |
| tykes | mongrels |

## U

| | |
|---|---|
| ugsome | horrible |
| usqueba | from Gaelic *uisge beatha* (water of life) |

## W

| | |
|---|---|
| wabbit | exhausted |
| wauken | waken |
| waunnert | wandered |
| waur | worse |
| wha | who |
| whaur | where |
| wheen | number/lot |
| whilk | which |
| wittericks | weasels |
| wid | would |
| wrackit | punished |
| wrang | wrong |
| wuids | woods |
| wullcat | wildcat |
| wunner | wonder |

## Y

| | |
|---|---|
| yestreen | yesterday evening |
| yince | once |
| yowe | ewe |

# ᛒessie ᛒunlop ᚣlasswork

## Reading Questions

Some of the following could be done as class/group discussions or as group/individual written answers. They are varied in difficulty and can thus be used selectively at different levels.

### ACT ONE

1a) Which lines of the 'Sprig o Rowan' song show that the people of Scotland were: (i) superstitious (ii) fed-up (iii) didn't think very highly of their rulers (iv) confused about religion?

b) From scene one as a whole, what do we learn about the state of Scotland in 1570?

c) Which lines of narration illustrate the pagan influences on the lives of ordinary people and which show that the Church saw all this as evil?

d) What do we learn about witchcraft persecution and the part played in it by the Church?

2) Explain Bessie's problems at the start of the play.

3) From scenes two and three, what are your first impressions of Bessie, Maggie and Tam?

4a) After reading scene four, list all the ways that Bessie helps others in the community and explain her neighbours' opinion of her.

b) What does she have doubts about and what is Maggie's advice?

5a) What does Tam mean about 'faith' in scene five and how does he offer to help Bessie?

  b) Why doesn't Tam want others to know about his help?

6 Explain what a 'skeelywife' was and why she was such an important person in her community?

7a) Explain how Bessie's magic brew affects Grizell Johnstoun and how this brings about a few surprises for everyone.

  b) What do you think was really wrong with Grizell? Who would be most/least pleased about the change that comes over her and why?

8a) Why do the gentry start to send for Bessie?

  b) Bearing in mind Bessie's reluctance (scene four) why do you think she tries to help such people?

9 Why do you think the Blairs originally sent for Bessie and do you think there is anything wrong or dangerous in what Lady Blair asks of her?

10a) We learned earlier that Andra has changed since his illness. From scene ten, how do you think he has changed and what effect will this have on Bessie?

  b) How could the whisky scene have turned out to be less funny for Bessie, as well as Andra and his cronies?

  c) Scenes seven and ten use a number of stock comic devices and characters. Pick one or two and explain how the humour works or doesn't.

11a) Scene eleven appears to be a funny one at the start, but it does not, in fact, turn out this way. Explain why and say what you found funny or sad in this scene.

b) Who do you think is most at fault in this scene? Arrange them in order of blame. Who else will be blamed and why?

c) How does the song indicate a change of mood at the end of Act One?

## ACT TWO

1a) What 'evils' does the Minister warn of in his sermon?

  b) How does his warning tie in with what you learned in Act One, scene one about the Church's attitude to old superstitions, etc?

  c) How does his last warning provide a link into the next scene and what do you think is being implied by the sudden cut from one to the other?

2a) What has Kyle asked Bessie to do and why is it rather difficult for Bessie?

  b) Explain 'Bessie's reputation ... had become legendary' and how Kyle's comments to Scott illustrate this. How do you think Scott lost the cloak?

3) How would you describe the change of mood that takes place in this scene?

4a) Why is Scott so angry with Bessie? How would you describe the sort of person he is?

  b) How does James Blair provide a dramatic contrast at the end of this scene and why do you think he helps Bessie?

  c) Why do you think Bessie is so hurt and confused by the end of the Irvine episode and how does it signal a turning point in her story?

5a) What change seems to have taken place in the way some of her neighbours feel about her? How does the song highlight a change in the neighbours?

b) What do you think of the part played by Elkie and Wulkie in Irvine and how might this make us see them in a slightly different light?

6a) Explain the dilemma Bessie now faces when people seek her help.
  b) What does Tam mean when he says 'these wuids gie us aw we need', etc?

7a) Explain what crime was committed and Dougall's part in it. Why are Jamieson and Baird so angry with him?
  b) What impression of Dougall and the Blaks do we get at the start of this scene and how is this proved right or wrong by the end of it?
  c) Look at the balance of comedy and menace in this scene and explain how it also signals an important change in the mood of the play.

8a) Do you think the Bishop handles the situation well and what do you think the consequences will be for Bessie?
  b) This scene opens and closes with a reference to Lord Boyd. What does this tell us about the 'tulchan' Bishop?
  c) How do you think Bessie found out about the plough irons? Check your suggestions in the next scene.

9a) How would you describe the mood of the neighbours in this scene? Who is sympathetic to Bessie and who isn't? Who is most hostile and why?
  b) How does the song reflect a new mood amongst Bessie's neighbours?

10a) Explain the change in Tam's role and mood in this scene.

b) What dilemma is Bessie now faced with? What does she put her faith in and why? What does this tell us about her?

11a) What are Crawfurd's reasons for holding a grudge against Bessie?
   b) How are Maggie and Bessie's fears about Andra (end of scene nine) shown to be well-founded by the end of scene eleven?
   c) How would you describe the mood of the play by the end of this act?

## ACT THREE

1) How does the Minister's sermon make it clear that he is talking about Bessie, without actually naming her? What does his biblical quotation suggest will happen to her?

2a) Why does Bessie reject Tam's advice again? What should/could she do?
   b) What do you think of his advice to seek an assize of her neighbours?
   c) Why does Tam ask Bessie to go to Lady Blair? Why do you think he faces a dilemma over what he asks Bessie to do? What else could/should he have done?
   d) Why does Bessie agree to go to Lady Blair? Is this wise in your opinion? What does it tell us about her?

3a) What do you think of Lady Blair's answer to Bessie's question about an assize and the reassurances she offers Bessie? What is your opinion of her by the end of this scene?
   b) How convincing is auld Wull's evidence about Tam's 'death' at Pinkie? What could have happened to him?
   c) In this scene, what alternative possibilities are suggested

about auld Tam's identity? What do we learn about the kind of person he was from auld Wull and Lady Blair? Does this tie in with what we know of him?

d) What is Reid's attitude to the news Bessie has brought? Can you blame him for believing Bessie is a witch or does he have an ulterior motive? Look at what seems to be worrying him most, and how he plays on Lady Blair's fears.

4a) Why is Andra now so scared? How does his behaviour here contrast with Bessie's?

b) Selfishness, loyalty, self-sacrifice, fear, cruelty, spite. Who shows the above qualities in this scene and why?

c) How do we see the truth being twisted in this scene?

d) Which aspects of this scene do you find most threatening or sinister?

e) Why does Maggie say 'Whit've I duin?' Has she betrayed Bessie?

f) Show how the song provides a sort of 'frame' for this scene and why it is appropriate.

5a) Hysteria, fear, evil. Comment on how this scene illustrates one of these.

b) How does Margaret Symple play an important role in turning people against Bessie? What other reasons make them turn against her?

6a) What does the Bishop decide to do about Bessie this time and what does this tell us about him?

b) What does he think will happen to her?

7a) Why has Bessie's case been sent to the High Court?

b) What do Balmanno and Whittinghame feel is 'peculiar' and 'disturbin' about Bessie's case?

165

8a) List the main devices used in witchcraft torture.

b) Is Bessie telling the truth when she says 'naebody else' told her? Why do you think she says this?

c) Why do her interrogators feel they are getting nowhere and how do they change their approach?

d) Why do they want her to admit to Tam saying 'Sancta Maria'?

9a) Give an example of how they distort her words and build on this to fabricate the truth.

b) Bessie's 'confession' becomes increasingly 'fantastic'. Show how and why this is done.

c) A grim irony is used at the end of some of the interrogation sessions. Explain one of the examples.

10a) Explain in your own words what Bessie was accused of and what the verdict was.

b) Why do her accusers link her work as a skeelywife with Tam and the Queen o Elfhame? What is the description of him trying to prove?

c) Explain what the authorities are trying to prove by asking about Tam's views on religion?

d) Explain the irony behind 'an assize o her neebours an nothin should ail her'. Why is it particularly ironic that Crawfurd convenes the assize?

e) Although she is much quoted, Bessie speaks only twice, though not directly to the court. What is the effect of this? (see page xii)

f) Pick an example of legal jargon and explain what it means. Show that the court scene uses some very contrasting types of language. Can you think of a reason for this? (see page xi)

11a) How does Bessie's soliloquy help to stress her innocence and essential goodness as well as the evil that is done to her?

b) How does '*Fine Flooers*' sum up Bessie's tragic story? How would you describe the mood of the song? Comment on any particular lines or images that highlight this mood.

c) Explain how the final lines of narration, as well as the biblical extracts, make it clear that we are not just talking about burning witches, but all forms of victimisation and persecution.

d) Why do you think the play ends with the list of names and what effect is created by hearing Bessie's name as the lights fade?

# Further Discussion Points

1) Class or group quiz: some of the class make up statements about five or six of the characters and ask the others to guess who they are. Decide whether they will be factual statements, character descriptions or statements of opinion about characters, etc.

2a) Select the three or four characters who you think helped or harmed Bessie most. Try to place them in order, from most to least harmful and give reasons. Pick the one you admire most/least.

b) How and why do Bessie's neighbours change in their attitude towards Bessie during the play? Who changes most/least?

c) Who shows most loyalty or love towards Bessie? Who is the most spiteful? What do they do to show this? Which scene illustrates this best?

d) How and why does Bessie help the local gentry? How did this contribute to her downfall?

3a) Without any discussion, or letting others see their choice, each person writes down one or two words to describe Bessie. How much agreement/disagreement is there?

  b) Find some examples of Bessie being: kind, brave, caring, good-humoured, patient, trusting, simple, wise, determined, resourceful, self-sacrificing, obliging, considerate, forgiving.

  c) Try to agree on Bessie's three or four most important qualities and say why they best sum her up. Refer to particular scenes to back this up.

  d) Why do you think Bessie was unable to recognise the danger she was in until it was too late? Why didn't she heed earlier warnings? What else could she have done? What would you have done?

4a) How did Tam and Bessie help each other? Was Tam to blame in any way for her arrest? In what way was Bessie his kindred 'spirit' or his spiritual heir?

  b) Why do you think old Tam became a hermit? Why did he not return home? How could Bessie have proved he was a real person, without asking him to meet others?

5a) Find examples of different kinds of songs or music in the play and suggest why they are used.

  b) Explain how and why the songs change during the course of the play.

6) Find examples of how the narration is used in different ways and for different purposes in the play.

# Writing Tasks

These are varied in difficulty to allow the teacher or pupils to select what they feel is appropriate.

**Personal or Imaginative Writing**

1.  Try writing a script, story or poem about one of the following:
    a) a time you or a friend were accused of something you didn't do
    b) a time you were bullied or were involved in bullying someone
    c) a new pupil is ignored or victimised by others
    d) a timid or shy person hiding from or facing up to a bully.

2.  Write a serious or comic confession to something you have done, in the form of a letter or diary entry.

3.  Write a newspaper report on one of the episodes in the play, for example the Irvine scenes, the Bishop scenes or the trial.

4.  Script an interview with a character from the play for a magazine or radio/TV programme.

5.  In the form of a story or script, write your own version of one of the Bessie scenes.

**Functional or Discursive Writing**

1.  What is a witch or warlock/wizard supposed to look like? Describe the popular image in words and add a drawing. Give your opinions of this. Have your views been changed by reading the play?

2. Do you believe in the supernatural or do you think it is all just nonsense? Discuss some different views on this subject and explain your own.

3. Write a magazine article about a person you admire because they do a lot for others, or someone you think is very brave because of the difficulties they have had to overcome or cope with. Try to write about someone you actually know and if possible include a real interview.

4. Write a letter to your local newspaper about some form of discrimination or injustice that you feel strongly about.

**Drama Essay**

1. Pick one scene that you found funny and one that you found menacing, sad or moving. Briefly describe what happens in each scene and explain why you felt this way about it. Also try to show why both these aspects are important in the play as a whole.

2. Compare two contrasting characters or groups of characters and show why this contrast is important to the play as a whole.

3. Pick a theme or themes that you think are important in the play and show how they are developed. Do you think it raises any issues that are important to our own age?

**Research**

1. Explain how we still observe old folk beliefs, superstitions and customs and find out the origins of Christmas, Halloween, Hogmanay, or May Day. Try interviewing some older people with a good local

knowledge about old customs or local fairs/festivals.
Which of these still survive? Write a report or magazine
article based on your findings.

Look up *The Silver Bough* by Marian McNeill or read
some Burns' poems like *Address to the Deil, Tam o Shanter,*
or *Halloween.*

2.  Try to find out about witchcraft persecution or famous
    witches or warlocks in your own area.

    Write an essay about how your local area fitted into the
    general pattern or tell the story of a famous local witch,
    warlock or witch-finder.

# FURTHER READING

## Poetry

Anon ballads, for example *The Wife o Usher's Well, Thomas the Rhymer, Tam Lin, Alison Gross, The Twa Corbies*
Robert Burns, *Address to the Deil, Halloween, Tam o Shanter*
*Bonny Kilmeny* by James Hogg
*The Rowan* by Violet Jacob
*The Fox's Skin* by Marion Angus
*Witchgirl* by Douglas Dunn

## Fiction

*Wandering Willie's Tale* by Sir Walter Scott
*Thrawn Janet* by R. L. Stevenson
*Witchwood* by John Buchan
*The Book of Black Arts* by George Mackay Brown
*The Thirteenth Member* by Mollie Hunter

## Drama

*The Crucible* by Arthur Miller
*A Spell for Green Corn* by George Mackay Brown
*The Burning* by Stewart Conn
*The Warlock and the Gypsy* by Dorothy Dunbar

## Non-fiction

*Fireburn*, C. Radford, 1988
*Scottish Witches*, C. Cameron, 1984
*Enemies of God: The Witchhunt in Scotland*, C. Larner, 1981
*Witch Hunt*, I. Adam, 1978
*A History of the Scottish People, 1560–1830*, T. C. Smout, 1969
*The Silver Bough*, F. M. McNeill, 1956
*Witchcraft*, P. Hughes, 1952
*A Calendar of Cases of Witchcraft in Scotland*, G. F. Black, 1938
*Witchcraft in South West Scotland*, J. M. Wood, 1911
*Historical Tales and Legends of Ayrshire*, W. Robertson, 1889
*A Historical Account of Witchcraft in Scotland*, G. K. Sharpe, 1884